SURVIVRE! SURVIVRE!

DU MÊME AUTEUR

ROMANS, RÉCITS ET CONTES

CONTES POUR BUVEURS ATTARDÉS, Éditions du Jour, 1966 ; BQ, 1996.
LA CITÉ DANS L'ŒUF, Éditions du Jour, 1969 ; BQ, 1997.
C'T'À TON TOUR, LAURA CADIEUX, Éditions du Jour, 1973 ; BQ, 1997.
LE CŒUR DÉCOUVERT, Leméac, 1986 ; Babel, 1995.
LES VUES ANIMÉES, Leméac, 1990 ; Babel, 1999.
DOUZE COUPS DE THÉÂTRE, Leméac, 1992 ; Babel, 1997.
LE CŒUR ÉCLATÉ, Leméac, 1993 ; Babel, 1995.
UN ANGE CORNU AVEC DES AILES DE TÔLE, Leméac / Actes Sud, 1994 ;
    Babel, 1996.
LA NUIT DES PRINCES CHARMANTS, Leméac / Actes Sud, 1995 ; Babel,
    2000 ; Babel J, 2006.
QUARANTE-QUATRE MINUTES, QUARANTE-QUATRE SECONDES,
    Leméac / Actes Sud, 1997.
HOTEL BRISTOL, NEW YORK, NY, Leméac / Actes Sud, 1999.
L'HOMME QUI ENTENDAIT SIFFLER UNE BOUILLOIRE, Leméac / Actes Sud,
    2001.
BONBONS ASSORTIS, Leméac / Actes Sud, 2002 ; Babel, 2010.
LE CAHIER NOIR, Leméac / Actes Sud, 2003.
LE CAHIER ROUGE, Leméac / Actes Sud, 2004.
LE CAHIER BLEU, Leméac / Actes Sud, 2005.
LE GAY SAVOIR, Leméac / Actes Sud, coll. « Thesaurus », 2005.
LE TROU DANS LE MUR, Leméac / Actes Sud, 2006.

LA DIASPORA DES DESROSIERS

LA TRAVERSÉE DU CONTINENT, Leméac / Actes Sud, 2007.
LA TRAVERSÉE DE LA VILLE, Leméac / Actes Sud, 2008.
LA TRAVERSÉE DES SENTIMENTS, Leméac / Actes Sud, 2009.
LE PASSAGE OBLIGÉ, Leméac / Actes Sud, 2010.
LA GRANDE MÊLÉE, Leméac / Actes Sud, 2011.
AU HASARD LA CHANCE, Leméac / Actes Sud, 2012.
LES CLEFS DU PARADISE, Leméac / Actes Sud, 2013.

CHRONIQUES DU PLATEAU-MONT-ROYAL

LA GROSSE FEMME D'À CÔTÉ EST ENCEINTE, Leméac, 1978 ; Babel, 1995.
THÉRÈSE ET PIERRETTE À L'ÉCOLE DES SAINTS-ANGES, Leméac, 1980 ;
    Grasset, 1983 ; Babel, 1995.
LA DUCHESSE ET LE ROTURIER, Leméac, 1982 ; Grasset, 1984 ; BQ, 1992.
DES NOUVELLES D'ÉDOUARD, Leméac, 1984 ; Babel, 1997.
LE PREMIER QUARTIER DE LA LUNE, Leméac, 1989 ; Babel, 1999.
UN OBJET DE BEAUTÉ, Leméac / Actes Sud, 1997 ; Babel, 2011.
CHRONIQUES DU PLATEAU-MONT-ROYAL, Leméac / Actes Sud, coll.
    « Thesaurus », 2000.

MICHEL TREMBLAY

La Diaspora des Desrosiers

VIII

Survivre! Survivre!

roman

LEMÉAC / ACTES SUD

Leméac Éditeur reconnaît l'aide financière du gouvernement du Canada par l'entremise du Fonds du livre du Canada pour ses activités d'édition et remercie le Conseil des arts du Canada, la Société de développement des entreprises culturelles du Québec (SODEC) et le Programme de crédit d'impôt pour l'édition de livres du Québec (Gestion SODEC) du soutien accordé à son programme de publication.

© LEMÉAC ÉDITEUR, 2014
ISBN 978-2-7609-1273-1

© ACTES SUD, 2014
pour la France, la Belgique et la Suisse
ISBN 978-2-330-04387-2

Pour Pierre Filion

PROLOGUE

Même les unijambistes ont besoin de souliers

Montréal, printemps 1931

La première fois qu'elle s'est présentée au magasin de chaussures, un samedi après-midi juste avant la fermeture, Édouard travaillait pour Teena depuis presque six mois.

Il ne l'a pas d'abord vue; il l'a sentie.

Mademoiselle Desrosiers lui avait demandé de faire la caisse, chose qu'il détestait entre toutes parce que les entrées de la journée, plutôt importantes ce samedi-là, devaient être comptées au sou près et qu'il n'était pas très bon en calcul. Il était donc penché sur le tiroir-caisse, concentré et nerveux – c'était la quatrième fois qu'il comptait l'argent et la somme des billets de banque, sales, froissés, déchirés, n'était jamais la même –, lorsque la clochette de la porte d'entrée s'était fait entendre. Il n'avait même pas levé la tête. Mademoiselle Desrosiers pouvait s'occuper du dernier client de la journée. Pour une fois c'était lui qui était occupé! Il avait entendu deux voix de femmes, celle de sa patronne et celle d'une cliente qui parlait tout bas, comme si elle avait eu quelque chose de secret à confier. Une autre qui ne sentait pas bon des pieds ou qui avait honte de ses déformations et qui avait, elle, la délicatesse de prévenir mademoiselle Desrosiers? Ce genre de clients était rare et il arrivait à la patronne de

Giroux et Deslauriers, le palais de la chaussure, de leur consentir, sans les prévenir, un rabais. Pour leur franchise. Pour leur délicatesse. Elle appelait ça la récompense de l'honnêteté.

Mais au bout de quelques secondes, le local du palais de la chaussure n'étant pas très grand, un parfum puissant, capiteux, une odeur de fleur épanouie, de nuit d'été dans un pays où il fait toujours chaud, un arôme enivrant qui faisait monter les larmes aux yeux tant il était intense l'avait frappé de plein fouet, et il avait laissé tomber les billets de cinq dollars dans la caisse qu'il avait refermée plus par habitude que par volonté.

Il reconnaissait ce parfum. Il n'avait croisé qu'une personne, dans toute sa vie, qui le portait. Avec arrogance, d'ailleurs. Avec aplomb. Une silhouette lilas dansait souvent devant ses yeux avant qu'il ne s'endorme quand il avait trop bu au Paradise qu'il commençait à fréquenter avec une inquiétante assiduité : des gestes souples, un rire de gorge, un glissement plutôt qu'une démarche, l'élégance, la vraie, celle qui vient de la détermination et du travail acharné et qui impressionne par sa minutie et sa précision ; et cette divine senteur qui fait tourner les têtes. Qui fait tourner la tête.

Le mariage de son frère Gabriel, six ans plus tôt. Il avait quoi, onze, douze ans. Cette apparition l'avait tellement secoué qu'il en avait été presque malade en rentrant à l'appartement de la ruelle des Fortifications avec ses parents et ses deux sœurs. Il avait suivi la dame en lilas toute la journée, un verre de Kik Cola à la main, ou un sandwich au jambon qui goûtait un peu trop la moutarde, il avait observé ses gestes, son maintien, la façon qu'elle avait d'envoyer la tête en arrière pour lancer son rire de gorge. Une duchesse de

Langeais avant celle qu'il allait plus tard se concocter. Un premier contact avec une femme d'une exception-nelle beauté, si différente de toutes celles qu'il avait connues jusque-là qu'elle en paraissait irréelle, une esquisse de l'idéal qu'il allait par la suite composer à partir de bouts de films en noir et blanc et de chapitres de romans en couleur.

Il avait fini par lui demander le nom de son par-fum. Elle avait ri parce qu'il était plutôt rare qu'on rencontre un petit garçon qui s'intéresse aux parfums que portent les femmes.

Gardénia.

« C'est une fleur, la gardénia ?

— D'abord c'est masculin. C'est *un* gardénia. Pis c'est plus qu'une fleur. C'est une fleur qui dure juste une nuit. Ou deux. C'est une fleur qui meurt vite, c'est pour ça qu'a' sent si fort pis si bon ! Pour que les insectes viennent la sauver. Pour se reproduire. A' sent bon juste pour se reproduire ! »

Il n'avait jamais retrouvé l'arôme de cette fleur qui sentait si bon pour survivre.

Il était d'ailleurs allé vérifier chez L. N. Messier, à côté du magasin de chaussures, quelques jours après avoir commencé à travailler pour mademoiselle Desro-siers, mais personne n'avait jamais entendu parler d'un parfum qui portait ce nom-là. Trop chic ? Trop cher ? Trop rare ?

Il n'avait pas tout de suite levé les yeux de peur d'être déçu, de se retrouver devant quelqu'un qui n'était pas elle, une autre femme qui aurait osé porter le même parfum, une usurpatrice, quelque créature du Plateau-Mont-Royal indigne d'arborer l'insigne d'un des plus grands souvenirs de sa vie. Surtout, il le savait, que la dame qui l'avait ensorcelé au mariage de son frère habitait très loin, Ottawa, qu'elle voyageait peu – c'est elle qui l'avait dit – et qu'il n'y avait à peu près aucune chance qu'elle se retrouve à Montréal, chez Giroux et Deslauriers, un samedi après-midi de mai…

Mais lorsque la femme avait élevé la voix, du velours avec une pointe d'acidité, il avait aussitôt redressé la tête.

Cette tignasse rousse, ces yeux noirs perçants, ce port de tête. C'était bien Ti-Lou qui était là. La louve d'Ottawa.

Tout s'était passé en quelques secondes dans sa tête : une louve avait-elle été envoyée par le destin pour s'installer aux pieds de la grande dame du faubourg Saint-Germain qui hantait ses pensées depuis le mois de décembre précédent? Le destin ajoutait-il une couche de libertinage – Édouard avait depuis longtemps deviné quel métier Ti-Lou exerçait –, un effluve de lascivité au personnage de grande dame qu'il était en train de se construire pour le plus grand plaisir des habitués du Paradise? Ce souvenir ressurgi par hasard, ou non, allait-il couronner la duchesse de Langeais d'un parfum de gardénia, d'un scintillement de courtisane, touche finale d'un personnage jusque-là inachevé? Les possibilités qui s'offraient à lui n'étaient-elles pas innombrables si sous la femme du monde qu'il était en train de se construire se cachait une guidoune? Une femme du monde au passé nébuleux, qui s'exprime comme un charretier, qui s'amuse à provoquer… à choquer. Cette apparition venue sans prévenir du passé était pour lui comme une gifle qui l'aurait réveillé après une longue léthargie. Il aurait dû y penser avant! Sous le vernis, les origines… Chassez le naturel… La révélation le fit reculer d'un pas. La duchesse de Langeais ne serait désormais qu'un déguisement – ce qu'elle était déjà, d'ailleurs – dont se servirait un laissé-pour-compte pour exprimer ses frustrations et ses rancœurs. La duchesse de Langeais ne serait plus innocente ni inoffensive ! Tout se mêlait dans sa tête, il avait le vertige, il avait peur de s'évanouir là, devant sa patronne et la Grande Guidoune.

En se retournant vers lui pour lui dire « Tu te souviens de ma cousine Louise, Édouard ? Tu l'avais rencontrée au mariage de Gabriel pis de Nana. Viens y dire bonjour. », Teena s'était déplacée et…

L'horreur.

Deux béquilles. Et une seule jambe qui dépassait de la robe un peu trop longue pour être à la mode. La louve déléguée par le destin pour parfaire son personnage n'avait qu'une jambe ! Un message caché ?

La silhouette de Ti-Lou en était toute déséquilibrée : la tête restait la même, droite, impériale, mais le reste du corps était affalé sur lui-même, les épaules remontées par les béquilles, le bassin dévié parce qu'elle ne s'appuyait que sur une jambe. Une déesse outragée. La perfection profanée.

Teena avait levé une main dans sa direction.

« Approche-toi, sois pas gêné comme ça… »

Édouard restait figé derrière sa caisse.

Ti-Lou s'était essayée à un sourire qui ne fut pas un succès. D'aussi loin qu'il était, Édouard pouvait lire la détresse au fond des yeux de la femme bafouée malgré la sincérité forcée du sourire. Ses yeux la trahissaient : aucune flamme – sauf peut-être la colère – n'y brillerait plus jamais.

« J't'reconnais, tu sais. J't'ai pas oublié, j'ai même souvent pensé à toi depuis le mariage de ton frère. Tu m'as tellement posé de questions ce jour-là… Des drôles de questions pour un petit gars, d'ailleurs.

J'te dis que t'as changé depuis qu'on s'est vus! T'es t'un homme maintenant… Un beau bonhomme, en plus… Es-tu toujours intéressé aux parfums que les femmes portent? Mon parfum s'est-tu rendu jusqu'à toi?»

Édouard s'était senti rougir jusqu'à la racine des cheveux.

«Oui. Aussitôt que vous êtes entrée je l'ai senti…

— Tu te souviens de son nom?

— Gardénia.

— Et pourquoi y sent si bon, le gardénia?

— Pour survivre.

— Pis pour combien de temps?

— Deux nuits.»

Ti-Lou avait avancé de quelques pas.

«Excusez-moi, y faut que je m'assoie…»

Elle sautillait sur sa jambe avant de déplacer ses béquilles qu'elle posait devant elle comme appui avant le saut suivant. De toute évidence elle n'était pas encore habituée à son nouvel état, ce qui la rendait maladroite.

C'était pénible à voir et Édouard avait fermé les yeux pendant quelques secondes, le temps que Ti-Lou s'installe sur une des chaises de la boutique. Elle avait appuyé les béquilles contre la chaise d'à côté, avait tiré sur sa jupe, comme pour l'allonger, peut-être dans l'espoir qu'on oublierait de regarder plus bas que sa taille.

Il n'allait plus jamais pouvoir effacer ce souvenir de sa mémoire : la plus belle femme du monde réduite à se traîner entre deux supports de bois, perpétuellement humiliée, elle qui avait baigné toute sa vie dans l'admiration des hommes.

«À la longue chus devenue comme un gardénia. Je sens bonne pis forte pour survivre… Mais je dure plus longtemps.»

Édouard avait traversé la boutique sans trop s'en rendre compte et s'était retrouvé devant la chaise de Ti-Lou.

« Chus un peu essoufflée. C'est la première fois que je descends du boulevard Saint-Joseph jusqu'ici… Ça fait pas longtemps que j'ai… ces affaires-là, pis je les essayais juste dans la maison… Dans la rue c'est pas pareil, hein… Dans la rue… »

Quelque chose qui ressemblait à de la panique avait passé sur son visage. Pensait-elle aux regards qu'on avait jetés sur elle pendant qu'elle descendait péniblement la rue Garnier ou la rue Fabre, à des remarques qu'elle aurait entendues, à des moqueries, même, de la part d'enfants effrontés ?

(Elle avait mis près de vingt minutes à parcourir la distance entre le boulevard Saint-Joseph et la rue Mont-Royal. Chez elle, lorsqu'elle perdait l'équilibre, elle pouvait se retenir aux meubles, s'appuyer contre les murs ; en descendant la rue Fabre cependant, aucun point d'appui, que des arbres trop éloignés les uns des autres pour représenter un quelconque soutien. Et cette angoissante sensation d'être sans cesse épiée. En passant devant l'épicerie Provost, elle avait aperçu le jeune homme – Raymond ? Roger ? – qui faisait la livraison avec son triporteur et qui se rendait chez elle deux ou trois fois par semaine. Il lui avait envoyé la main. Elle lui avait répondu d'un léger signe de tête. Elle suait à grosses gouttes et avait dû s'arrêter à plusieurs reprises pour s'essuyer le front et la nuque. Il faisait si beau. Elle aurait voulu descendre jusqu'au parc La Fontaine, le traverser, faire le tour des deux lacs, s'asseoir sur un banc pour regarder gambader les écureuils albinos – Maurice lui avait dit où se trouvait leur nid –, attendre que le soleil se couche et revenir, un cornet de crème glacée à la cerise à la main. Elle avait fait presque demi-tour en se disant qu'elle arriverait à la boutique de chaussures épuisée, s'était trouvée ridicule, avait persévéré. En arrivant devant chez Giroux et Deslauriers, elle avait presque éclaté en sanglots. De soulagement.)

« Comme je le disais à Teena en entrant, chus venue m'acheter une paire de souliers. Ça fait des jours que j'hésite parce que je trouve ça absurde d'acheter deux souliers alors que j'ai juste une jambe. »

Elle ne parlait pour personne en particulier. Ses propos auraient très bien pu s'adresser autant à Teena qu'à Édouard.

« Qu'est-ce que j'vas faire avec l'autre ? Le jeter ? Le cacher dans le garde-robe ? J'avais pas pensé à ça, avant... »

Elle avait baissé la tête, porté sa main à sa bouche.

Elle allait pleurer, Édouard en était convaincu.

Et une louve d'Ottawa ça ne pleure pas.

Toute timidité oubliée, il s'était emparé des béquilles, les avait appuyées contre un des présentoirs de souliers, s'était assis à côté de Ti-Lou, avait saisi sa main libre.

Ah, le gardénia ! Ça entrait par le nez, par la bouche, ça envahissait les poumons, ça donnait envie d'être heureux même si le prix à payer était la mort au bout de deux nuits.

« Ce que vous allez faire avec le deuxième soulier a pas d'importance, madame Ti-Lou.

— Tu sais que je m'appelle Ti-Lou ?

— Je savais pas que vous vous appeliez Louise. »

Teena avait toussé dans son poing.

« Dans la famille on t'appelle toujours Ti-Lou... »

Édouard avait posé la main de Ti-Lou sur son genou à lui, enlacée à la sienne, un nœud de doigts qui ressemblait à une promesse de fidélité plutôt qu'à un geste d'apaisement.

« Ce qui est important c'est que les souliers que vous allez acheter soient les plus beaux du magasin. Laissez faire le deuxième, y faut que celui que vous allez porter vous rende heureuse de l'avoir acheté, que vous soyez fière de le montrer…

— Je les achète pas pour les montrer, je les achète parce que j'ai besoin d'un bon soulier !

— Achetez-le pour le montrer ! Comme si c'était pour le montrer ! Y a-tu quelqu'un à qui vous voudriez montrer un beau soulier qui vous fait bien ? »

Un léger changement dans les traits du visage, un frémissement presque imperceptible, l'esquisse d'un sourire.

Il y avait donc un homme dans la vie de la louve.

« Ben achetez-les pour lui. Jetez le deuxième dans les vidanges ou ben cachez-le dans le fond de la boîte à bois, mais celui que vous gardez, soyez-en fière !

— Mais y va y en avoir rien qu'un !

— Ça fait rien, y faut qu'y soit beau pour deux !

— Allez-vous m'aider à les… à *le* choisir ?

— On peut garder le magasin ouvert jusqu'à neuf heures, à soir, si ça peut vous rendre service. »

Teena s'était dirigée vers la porte, avait tourné le petit rectangle de carton du côté « fermé » puis avait verrouillé la porte.

« On va t'aider, Ti-Lou. Tu vas sortir d'ici avec le plus beau pied du Plateau-Mont-Royal ! »

« Maria vient me voir de temps en temps. Mais toi pis Tititte, on dirait que vous m'évitez. »

19

Teena ratissait les présentoirs – *pas ça, ça fait trop jeune, pas ça, le talon est trop haut, a' pourrait jamais marcher avec ça ; ça, peut-être, le talon est plat…* – pendant qu'Édouard fouillait dans l'arrière-boutique. Ils lui avaient fait essayer des chaussures vernies qu'elle avait jugées trop *pétantes*, des souliers plates-formes, solides, qui tenaient bien le pied, mais qu'elle trouvait laids parce que trop massifs, des brillants, des ternes, des classiques qu'elle avait décrétés mémères, des nouveautés, très originales, dont elle avait ri. Teena avait fini par lui demander si elle avait une petite idée de ce qu'elle voulait et elle lui avait répondu que non, qu'elle attendait que la bonne paire lui saute dessus. Enfin, que le bon soulier lui saute dessus.

« Si chus pognée pour en porter juste un, y faut que ce soit le bon ! »

Ti-Lou avait sorti un mouchoir de dentelle de son sac, s'était éventée en bâillant.

« Tu réponds pas ? J'ai jamais de tes nouvelles…

— Qu'est-ce que tu veux que je réponde ? C'est avec Maria que t'étais amie, quand vous étiez jeunes, c'est normal que vous vous fréquentiez aujourd'hui… Tititte pis moi on était trop vieilles pour vous autres, vous nous l'avez dit assez souvent…

— C'est pas une raison pour me laisser tu-seule sur le boulevard Saint-Joseph.

— Ti-Lou ! C'est rien que depuis ton opération qu'on sait que t'es à Montréal ! Avant ça, t'avais demandé à Maria de rien dire à personne ! Nous autres, on pensait que tu… que tu travaillais encore à Ottawa.

— C'est-tu ça qui vous dérange ? Le métier que je faisais à Ottawa ?

— Que c'est que tu vas chercher là ?

— Ça vous choque, hein ? Ça vous a toujours choquées ! »

Teena avait quitté les présentoirs pour venir se planter bien droite devant sa cousine.

« Si ça me choquait, Ti-Lou, j't'aurais pas laissée entrer quand t'es arrivée tout à l'heure... »

Bien sûr, c'était un mensonge. Tittite et Teena avaient toujours jugé Ti-Lou. Elles l'avaient plainte, surtout. Ce qu'elle faisait pour gagner sa vie les choquait – Tittite prétendait toutefois avec philosophie qu'il y avait une guidoune dans chaque famille, aussi bien Ti-Lou qu'une d'entre elles –, elles avaient surtout été rebutées par ce à quoi leur cousine avait à faire face chaque nuit et, sans doute, chaque jour. Année après année. Même si – c'était Maria qui le prétendait – le jeu en valait la chandelle puisque Ti-Lou, semblait-il, était revenue dans la métropole avec beaucoup d'argent. De l'argent trop durement gagné, avait dit Tittite en rougissant.

Ti-Lou avait replacé son mouchoir dans son sac.

« C'est correct. Excuse-moi. C'est la nervosité qui me fait parler. La seule idée qu'y fallait que je sorte de la maison, que j'me présente dans un magasin de souliers avec mes béquilles pis ma jambe coupée m'a empêchée de dormir depuis des jours... Si je t'avais pas connue, si j'avais pas su que tu travaillais ici, pas loin d'où ce que je reste, j'pense que j'me serais pus jamais acheté une maudite paire de souliers de toute ma vie. Je serais restée chez nous, le pied dans une pantoufle en minou, plutôt que de me présenter comme ça devant un inconnu... L'orgueil, Teena, ça nous tient en vie quand on est jeune, mais ça finit par nous tuer en vieillissant. »

Sans rien ajouter, Teena était retournée fouiller sur les étagères.

« Si vous trouvez rien...

— On va finir par trouver quequ'chose, Ti-Lou, aie pas peur...

— Si vous trouvez rien, je retournerai m'enfermer chez nous...

— Arrête de vouloir faire pitié, c'est fatiquant.

— J'fais pitié, Teena, on peut rien changer à ça. »

Épuisé au bout d'une demi-heure de recherche dans la poussière de l'arrière-boutique, Édouard s'était assis sur une caisse en s'épongeant le visage et en soupirant. Il craignait que Teena et lui ne trouvent jamais le bon soulier. Il pensa à Cendrillon. Avec des béquilles. À la pantoufle de verre. Ce qui lui fit froncer les sourcils. Il avait vu quelque part, deux ou trois semaines plus tôt, une étrange paire de souliers, presque transparents, justement, des chaussures si originales que sa patronne avait dit qu'ils n'arriveraient jamais à les vendre parce qu'ils étaient trop différents de ce qui intéressait leur clientèle habituelle...

Il avait presque bondi sur ses pieds.

Où est-ce que c'était, donc ?

Il s'était relancé dans les boîtes de carton et le papier de soie, plongeant sous les tablettes les plus basses, là où on rangeait ce que mademoiselle Desrosiers trouvait laid ou invendable. C'était une boîte bleue, il s'en souvenait très bien, un bleu foncé avec une espèce de bordure argent...

Teena avait cessé de fouiller sur les étagères lorsqu'elle s'était rendu compte que Ti-Lou n'essayait plus de chaussures depuis un bon moment. Elle était d'abord restée debout derrière sa cousine, s'attendant à ce que celle-ci finisse par passer une remarque sur l'un de ses choix – la forme, la couleur, la souplesse –, mais Ti-Lou ne parlait plus de souliers et Teena avait compris que cette visite, en fin de compte, avait peut-être eu un autre but. La fièvre du printemps avait-elle fait sortir la louve de sa tanière? Ti-Lou, après être restée enfermée tout l'hiver, s'était-elle trouvé une excuse pour venir à la rencontre d'une personne qu'elle connaissait, n'importe laquelle, la plus près, pour parler, simplement parler, pour s'épancher au sujet de cette tragédie qui avait mis fin à ce qu'elle appelait – elle en avait fait mention à deux ou trois reprises – *ses années de beauté*? Maria l'avait-elle négligée, ces derniers temps, et Ti-Lou avait-elle ressenti le besoin impérieux de se confier, d'exprimer à voix haute ses inquiétudes et ses questionnements? À n'importe qui?

Elle semblait obsédée par l'image qu'elle avait d'elle-même depuis son amputation, comme si, en même temps qu'une jambe, on lui avait retranché toute confiance en ses capacités de séduction. On l'avait poussée en bas d'un trône, on avait démoli le socle sur lequel elle se tenait, droite et fière, depuis si long-temps, on avait fait d'elle une mutilée et, traumatisée, elle n'arrivait plus à se relever.

Elle parlait aussi d'un certain Maurice qu'elle fré-quentait depuis cinq ans et qui, malgré son handicap, malgré ses supplications, ses colères, ses anathèmes, refusait de s'éloigner d'elle…

« … pour le moment. Y refuse de s'éloigner pour le moment. Peut-être par pitié. J't'ai dit que je faisais pitié, tout à l'heure, mais je veux pas que *lui* aye pitié de moi, qu'y s'empêche de vivre des choses… avec une femme… avec une femme complète, comprends-tu?

Chus pus complète! Pourquoi y s'entête? Pourquoi y insiste pour rester?»

Teena avait posé ses mains sur ses épaules.

«Probablement parce qu'y t'aime. En tout cas, qu'y tient à toi. On aime pas quelqu'un pour le nombre de jambes qu'y ont!

— Eh, que c'est niaiseux, ce que tu viens de dire là! On aime pas quelqu'un pour le nombre de jambes qu'y ont, c'est sûr, mais quand y en manque une…

— Si y est capable de passer par-dessus ça, tant mieux!

— Mais *moi* chus pas capable!»

Ti-Lou avait saisi ses béquilles, avait essayé, en vain, de se relever, était retombée sur sa chaise.

«Chus même pus capable de me relever… Des fois, chez nous, ça me prend cinq minutes, à forcer pis à suer, pour m'extirper de mon fauteuil! Laisse-moi souffler… laisse-moi souffler, un peu, pis après j'vas m'en aller.

— Veux-tu que j'te fasse une tasse de thé des sauvages, de café? Veux-tu un verre d'eau?

— Non, non, c'est correct, ça va aller.»

Du bruit venait de l'arrière-boutique, des boîtes qu'on déplace, des piles de cartons qui s'écroulent, la voix de quelqu'un qui sacre.

«Y cherche encore…

— Y va peut-être finir par trouver quequ'chose. Moi, j'avoue que je sais pus où regarder.

— C'est correct, j'peux porter mes vieux souliers encore un bout de temps…»

Un lourd silence était tombé sur la boutique. Les deux femmes regardaient par terre. Ti-Lou tirait sur sa jupe, Teena jouait avec son collier de fausses perles.

Puis Ti-Lou avait recommencé à parler, tout bas, comme si elle s'était adressée à elle-même.

«Y m'ont dit que quand tout ça serait guéri, quand ça ferait pus mal, j'pourrais peut-être porter une jambe de bois. Une jambe de bois. Imagine. J'ai tu-suite pensé à l'actrice française, là, tu sais, qui a joué au théâtre avec une jambe de bois jusqu'à sa mort...

— Sarah Bernhardt.

— C'tait ça, son nom? En tout cas j'ai pensé à elle pis j'me sus dit que si est-tait capable de monter sur une scène avec une jambe de bois... Mais... C'est-tu de l'orgueil, tu penses? Probablement. T'sais... Je sais pas comment te dire ça... Quand t'as des béquilles, c'est clair, tout le monde le voit, tout le monde comprend tu-suite, y voit ben que t'as juste une jambe, mais quand t'as une jambe de bois... Ça doit paraître, non? Ça doit pas avoir l'air d'une vraie jambe! Tu dois pas être capable de le déguiser complètement. Y doit toujours y avoir un boitillement... *A' boite-tu toujours comme ça? C'est-tu de naissance? A' l'a-tu une jambe plus courte que l'autre?* Tu vois, d'un côté j'ai envie de rester enfermée à cause de mes béquilles, pis de l'autre chus trop orgueilleuse pour me montrer en public en boitant. Chus plus orgueilleuse qu'une actrice qui avait le courage de faire face à un public de théâtre tous les soirs avec une jambe de bois, c'est pas des farces!»

Après un court silence pendant lequel elle avait joint les mains sur ses genoux, comme si elle s'apprêtait à prier, elle avait ajouté:

«Mes jambes faisaient partie de ce que j'avais de plus beau, Teena! Toute ma vie on m'a parlé de mes jambes!

— Arrête d'y penser! T'as un homme qui t'aime, arrête de penser à ce que t'étais avant pis profites-en!

— Tu penses jamais à ce que t'étais avant, toi?

— J'ai pas d'avant, moi, Ti-Lou. J'ai jamais eu des belles jambes. Pis les hommes m'ont jamais couru après. J'ai toujours été *plain*. Pis j'me demande si je serais pas prête à sacrifier une jambe pour avoir l'air de ce que t'as l'air à notre âge! Prends tes béquilles, retourne-toi-s'en chez vous, pis pense à ce que t'as plutôt qu'à ce que t'as pas.»

Ti-Lou allait faire une deuxième tentative pour se relever lorsqu'Édouard était sorti de l'arrière-boutique avec une boîte bleue garnie d'un liséré argenté.

«J'ai trouvé quequ'chose de ben original!»

Il s'était aussitôt jeté aux pieds de Ti-Lou, faisant valser le couvercle de la boîte et le papier de soie qui enveloppait les souliers.

«Vous vouliez quequ'chose de différent… Ben le v'là!»

Ce qu'il avait alors brandi devant elle était si ridicule, si grotesque, que Ti-Lou était restée quelques secondes interdite.

C'était un escarpin en tissu chamarré – des rayures, des fleurs, du paisley –, et presque transparent, qui ressemblait à un mini-canapé, à un bébé sofa qui aurait refusé de grandir. Une babouche avec des idées de grandeur. Ça sortait des *Contes des mille et une nuits* ou d'un roman de Pierre Loti, une chaussure que Schéhérazade elle-même aurait refusé de porter parce que, même pour elle, elle aurait été trop bariolée et trop voyante.

Teena, honteuse, s'était aussitôt emparée de la chaussure.

«Édouard, franchement! Offrir des affaires de même à une cliente! Pis pas n'importe quelle cliente! J'les avais cachées pour qu'on les retrouve jamais!»

C'est à ce moment-là que Ti-Lou avait éclaté de rire. Un beau grand rire, sincère, irrépressible, qui lui avait mis les larmes aux yeux au point qu'elle avait dû ressortir son mouchoir pour les essuyer.

«Mais c'est ben laid! C'est ben laid, ces affaires-là!»

Teena et Édouard restaient figés devant elle, ne sachant pas trop comment réagir à cette explosion d'hilarité à laquelle ils ne comprenaient rien.

«J'ai jamais vu une affaire de même de toute ma vie! Jamais!»

Teena s'était penchée pour ramasser la boîte.

«Excuse-le, Ti-Lou, je sais pas c'qui y a pris…»

La main sur la poitrine, Ti-Lou prenait de grandes respirations entrecoupées de joyeuses petites cascades.

«J'ai pas ri comme ça depuis des années! Penser que je pourrais me mettre ça dans les pieds!»

Sans transition elle avait ouvert son sac, y avait plongé la main et en avait extirpé son porte-monnaie.

«J'les veux.»

Teena avait redressé la tête.

«Tu viens de dire que t'as jamais rien vu de si laid dans toute ta vie!

— Oui, mais j'les veux, Teena. J'peux pas te jurer que j'vas les porter, mais j'les veux! Sont trop drôles!»

Elle avait tendu une main à Édouard qui s'était penché pour l'embrasser au lieu de la serrer. Ah, le gardénia encore! Tout près de son nez, comme ça, ça le soûlait comme s'il avait bu un verre de vin d'un trait. Se vautrer dans ce parfum, en asperger la duchesse de Langeais pour que le gardénia imprègne ses vêtements autant que sa peau, mourir dans les bras de n'importe qui en dégageant le parfum d'une fleur qui sentait trop pour survivre! Sa décision était prise : s'il fallait sentir fort pour survivre, les gens qu'il croiserait durant le reste de son existence seraient conscients de sa perpétuelle lutte pour rester en vie! L'air vibrerait autour de lui tellement il embaumerait! Les mouches tomberaient sur son passage, soûles! On saurait long-temps d'avance qui s'en venait et on se rappellerait longtemps qui était parti.

Sans réfléchir, sans lever la tête, il avait demandé:

«Votre parfum, vous le prenez où?»

Ti-Lou lui avait ébouriffé les cheveux, comme on le fait avec un petit garçon qu'on trouve mignon.

«Penses-tu vraiment que j'vas te dire ça? C'est mon parfum à moi, Édouard. Trouve-toi-s'en un à toi.»

Il ne sentirait donc jamais le gardénia. Mais fort, ça, oui, il sentirait fort! Parce que toutes les fleurs vou-laient survivre. Même les plus humbles, même celles qui puaient.

Ti-Lou enfilait ses gants, glissant bien chaque doigt dans sa gaine de soie.

«Tu sais comment faire rire une femme, mon garçon, même si tu fais pas exprès. C'est une grande qualité, essaye de l'exploiter... Pis t'as l'air d'un gars intelligent, j'vas te donner une job... Tu vas garder toutes les paires de souliers les plus laides qui vont te passer par les mains, pis tu vas les mettre de côté pour moi. OK? Pis, disons une fois par mois, j'vas venir choisir la pire, la plus drôle, la plus ridicule... Tu viens de me donner une idée extraordinaire: j'vas faire une collection de souliers affreux!

— Mais qu'est-ce que vous allez porter, madame Ti-Lou?»

Ti-Lou s'était emparée de ses béquilles, s'était levée, avait replacé sa robe, sa ceinture, ses cheveux.

«De temps en temps j'vas en choisir une paire de plates, une paire d'ennuyants, pis j'vas les porter. En tout cas, j'vas en porter un... Les autres... les autres vont m'aider à pas trop me prendre au sérieux quand j'vas me sentir déprimée… »

Ti-Lou partie, Teena et Édouard avaient fait le ménage en silence.

Juste avant de quitter – la porte de la boutique ouverte, des effluves de juin les avaient frappés tous les deux, le lilas qui achève, l'odeur des pivoines chez le fleuriste, en face – Teena avait posé la main sur l'épaule d'Édouard.

« Vas-tu le faire ?

— Pour les souliers ? Ben sûr. Y en a tellement des épouvantables.

— J'vas t'aider. On va faire ça à deux. Ça vaut la peine si ça la fait rire. »

PREMIÈRE PARTIE

Résiliences

Montréal, septembre 1935

«Tu sais que t'es ma grande consolation, hein? Ma seule consolation.»

Laura détache son tablier, le plie avec soin, le place dans le tiroir du haut de la pantry à gauche de l'évier.

«J'ai l'impression que ce tablier-là sert pas ben ben souvent.»

Josaphat prend une gorgée de ce thé infect que Laura a apporté et qu'il a additionné de gin Bols. Il ne peut pas dire que l'alcool améliore le goût du thé, mais, au moins, ça va lui réchauffer le corps pour un bout de temps. En tout cas jusqu'au moment de commencer à boire sérieusement. Après le départ de Laura.

«C'est vrai que je fais pas le ménage de la cuisine souvent.

— Mangez-vous seulement ici, popa? Au fait, mangez-vous?»

Ce petit sourire narquois qui plaît tant aux femmes et dont il abuse volontiers pour parvenir à ses fins, semble laisser la jeune fille froide.

«C'est ça, répondez pas.»

Il finit sa tasse, la fait claquer sur la toile cirée de la table. Des légumes sont entrés dans la maison pour la première fois depuis longtemps et ça fleure encore bon le poulet. L'odeur de vieux garçon qu'il ne sent plus mais dont il est conscient aux plissements de nez que font ses rares visiteurs en entrant chez lui a disparu. Pour un temps. Demain ou après-demain les cigarettes, le linge sale, les restants de boîtes de conserve, reprendront leurs droits.

« Même si je me faisais à manger, penses-tu que je porterais ce tablier-là ? »

Laura sourit malgré elle. Les plis d'inquiétude ont disparu de son front le temps d'imaginer son père se préparant un repas, un tablier autour de la taille. Impensable.

« D'où y vient, d'abord, le maudit tablier ? »

Josaphat se lève, vient rincer la tasse sous l'eau froide du robinet, la secoue, la pose à l'envers sur le comptoir.

« Y m'arrive d'avoir de la visite, tu sais, Laura.

— Pis le ménage se fait comme par miracle chaque fois, je suppose. Par quelqu'un qui a fini par apporter un tablier ? C'est-tu toujours la même femme, au moins ?

— Ça te regarde pas.

— C'est vrai, mais ça me rassurerait.

— Pourquoi ?

— De savoir que vous avez quelqu'un dans votre vie… Quelqu'un de régulier.

— J'ai besoin de personne. De régulier.

— C'est ceux qui en ont le plus besoin qui disent ça…

— Tu parles comme ta mère. »

Laura referme la porte de l'armoire où elle vient de ranger les deux assiettes, les deux tasses, les deux verres.

« Au fait, comment a' va, moman ? »

Son père s'étire, les mains sur les reins. Une douleur dans le bas du dos l'empêche depuis quelque temps de se concentrer pendant qu'il joue du violon et ça l'inquiète. Les bras, ça va, pas de problème, fiables, forts, les gestes sont fluides, contrôlés. Mais le dos… Il a mis des mouches de moutarde pendant une petite semaine, ça n'a fait que lui brûler la peau. Il n'a pas encore essayé la glace. Il faudrait peut-être qu'il voie un docteur. Il hausse les épaules.

« J'ai pas eu de ses nouvelles depuis un bon bout de temps.

— Est toujours à Montréal ?

— En autant que je sache…

— Ça a pas l'air de beaucoup vous intéresser.

— Ça m'intéresse pas beaucoup, non. »

Laura s'assoit, ramasse quelques miettes de pain qui ont échappé au linge mouillé qu'elle a passé sur la table.

« J'aimerais ça la voir…

— Bonne chance.

— Pourquoi vous dites ça ?

— Parce que je sais pas oùsqu'a l' est. Parce que personne sait oùsqu'a l' est.

— Vous êtes pas allé voir à l'Auberge du Canada ?

— Chus pas allé à l'Auberge du Canada depuis des années.

— Donc, a' pourrait être là.

— Pas nécessairement. Ceux qui y vont encore disent qu'y l'ont pas vue depuis un bout de temps.

— Elle a peut-être besoin d'aide.

— Elle a toujours eu besoin d'aide.

— Dites donc pas ça.

— Qu'est-ce que tu veux que je te dise d'autre ? Je le pense !

— J'vas peut-être aller voir. À soir…

— T'es trop jeune, y te laisseront pas entrer.

— V'nez avec moi.

— Laura, j't'ai dit qu'est-tait pas là! Pis tu viens juste d'arriver à Montréal, de t'installer chez les bonnes sœurs de la rue Dorchester, c'est pas le temps d'aller te faire arrêter à l'Auberge du Canada parce que t'es mineure! T'es pus à Saint-Jérôme, là, t'es dans une grande ville!

— Mais j'ai ben le droit de voir ma mère!

— Chus pas sûr que t'as envie de voir c'qu'est devenue.

— Ça veut dire quoi, ça?»

Josaphat tire une chaise, s'assoit à côté d'elle, lui prend les mains.

«T'as pas répondu à ma question, tout à l'heure.

— Quelle question?

— Quand je t'ai demandé si tu savais que t'étais ma seule consolation…

— Popa, vous me dites ça chaque fois que vous me voyez, c'est sûr que je le sais, même si je sais pas ce que ça veut dire.

— Y me semble que c'est clair.

— C'est peut-être clair pour vous…»

Elle approche sa chaise encore plus près de celle de son père. Elle se rend aussitôt compte, à son haleine, que le thé qu'il a bu était moins innocent qu'il n'en avait l'air, décide de ne rien dire même s'il est encore tôt dans la journée. De toute façon, à quoi ça servirait?

Il a vieilli. Ses joues se sont affaissées, de nouvelles rides sont apparues autour de ses yeux, sa bouche s'est plissée. On dirait que son visage s'est dégonflé, comme si on en avait retiré l'air. S'il n'a jamais été gros – au contraire d'elle qui a de graves problèmes avec son poids depuis sa naissance, héritage de sa mère, Imelda Beausoleil, fille de la légendaire grosse Minoune et fière de sa graisse –, il n'a jamais eu la peau collée aux os non plus. C'est nouveau. C'est inquiétant. Le teint gris, la barbe mal faite, les yeux rouges – d'habitude, quand elle vient le voir, il se rase de près pour, comme il le dit, ne pas user ses belles joues rondes avec son poil de brosse à plancher –, il n'a pas du tout l'air de traverser la bonne période qu'il avait annoncée dans sa dernière lettre.

Laura passe sa main dans les cheveux de son père. Du crin, du foin, c'est piquant et graisseux, ça part dans tous les sens et c'est beaucoup plus gris que la dernière fois.

« J'aimerais ça savoir ce qui se passe dans cette caboche-là. »

Il penche la tête vers la cigarette qu'il vient de commencer à rouler avec ses doigts experts. Une grosse boîte en métal de tabac Turet, fort et peu dispendieux, du papier de bonne qualité cependant, pas de *rouleuse*, il préfère *rouler* avec ses mains, question de contrôler la grosseur de la cigarette, la compacité du tabac, le poids entre ses lèvres…

« Non, t'aimerais pas ça.

— Vous parliez de consolation. Ça veut dire que vous en avez deux. Je pensais que votre viélon, que votre musique, était votre consolation. »

Il lèche le papier, le scelle en le roulant entre ses pouces et ses index. Un cylindre parfait se forme. Il frotte une allumette de bois sur le bord de la table.

Ça sent tout de suite très fort dans la pièce. D'aussi loin qu'elle se souvienne, Laura a toujours eu envie de tousser et de se frotter les yeux quand son père s'allumait une cigarette. La fumée n'est pas grise. Elle est bleue. C'est presque beau.

« La musique, c'est pas ma consolation, c'est ma survie. Une consolation, ça sert à continuer, à endurer. La survie, le mot le dit, ça empêche de mourir.

— Pis moi je vous encourage à continuer.

— Oui. Tes visites, juste de savoir que tu vas venir me voir, même pour une petite journée, ça m'encourage à continuer à faire ce que j'ai à faire…

— Mais vous aimez ça faire de la musique!

— J'fais pas juste ça, tu t'en doutes ben.»

Elle sait où il se dirige, de quoi il serait question si, justement, elle l'encourageait. Il lui avait pourtant dit que tout ça était fini. Pas la boisson, non, ça elle sait qu'il ne pourra jamais s'en passer, mais le reste…

«On dirait… De savoir que t'es là, que t'existes, même loin, même avec ta tante à Saint-Jérôme… On dirait…»

Il se tourne vers elle, la regarde droit dans les yeux.

«Chus comme un ballon, Laura, chus plein d'air, pis de boisson, pis je flotte plus souvent qu'à mon tour… C'est toi qui me ramènes les pieds sur terre. Comme si j'avais un fil attaché après une de mes chevilles pis que c'est toi qui tenais l'autre bout.

— C'est quoi les autres choses que vous avez à faire, popa… Ça a-tu rapport avec les contes que vous me contiez quand j'étais petite?

— T'as toujours voulu que ce soit des contes, hein…

— C'tait beau pis ça avait pas de bon sens. Oui, c'tait des contes. Quand vous aviez bu vous aviez l'air d'y croire dur comme fer, ça fait que je pensais que c'était vrai. Quand c'est vous qui veniez me voir chez ma tante Charlotte, à Saint-Jérôme, pis que vous arriviez comme le père Noël, des cadeaux dans une main, votre viélon dans l'autre, pis toutes les belles histoires, les tricoteuses, la lune, la chasse-galerie, le yable en canot d'écorce pis le lutin venu d'Écosse… J'y croyais plus qu'au bon Dieu…

— Pis quand est-ce que t'as arrêté d'y croire ?

— Quand ma tante Charlotte m'a dit que le père Noël existait pas pis qu'est-tait pus trop sûre pour le bon Dieu, j'me sus dit que le reste non plus devait pas exister… Que c'était beau, que c'était plus beau que tout ce que je lisais dans les livres, mais que c'était pas vrai. Des contes de fées. Vos *Contes des mille et une nuits* à vous. Dites-moi que vous y croyez pus vous non plus…

— J'peux pas te dire ça, tu le sais ben…

— Vous vous entêtez…

— C'est pas de l'entêtement.

— Ça pourrait être de la folie, popa.

— Ça en est. Ça en est. Mais ça veut pas dire que c'est pas vrai. »

Il se lève, se dirige vers la chaise où il a posé son violon, plus tôt, parce qu'il sait que Laura, avant de partir, lui demande toujours de lui jouer quelque chose.

« Ça veut dire que vous persistez à dire que les tricoteuses sont toujours là.

— Ça sert à rien que je te dise ça, Laura. Crois-le pas si tu veux pas…

— Mais sont là ?

— Non. Pas là. Pas maintenant. Quand tu viens me visiter, je leur demande de rester dehors.

— Même l'hiver ?

— L'hiver, l'été, y a pas de différence pour elles. Y ont pas chaud pis y ont pas froid.

— Sur le balcon d'en avant ? Sur la galerie d'en arrière ?

— Tu sais ben que tu les verrais pas même si t'allais vérifier…

— Si vous ouvriez la porte de la cuisine, là, les verriez-vous sur la galerie ?

— Peut-être. Mais peut-être qu'y sont sur le balcon d'en avant. »

Elle traverse la cuisine en courant, vient se jeter dans ses bras.

« Arrêtez ça. S'il vous plaît, popa. Arrêtez ça. Ça, pis la lune, pis les chevaux, pis tout le reste !

— Tu sais ben que je peux pas. Pis je viens de te dire que c'est toi qui me consoles de tout ça…

— Si vous arrêtez d'y croire, vous aurez pus besoin de consolation !

— Si j'arrête d'y croire, la musique va mourir en moi. Pis j'aurai pus rien pour survivre. Qu'est-ce qui est le plus important, tu penses ? Je sais que tu comprends pas, pis je te le demande pas. Pis si jamais t'as peur que je finisse à l'asile, dis-toi que chus déjà allé, de moi-même, pis que c'était pas ma place. »

Elle s'éloigne en s'essuyant les yeux.

« En attendant, veux-tu que j'te joue un petit quequ'chose ? Quequ'chose de joyeux ? Quequ'chose de triste ?

— Quequ'chose de triste. Faites-moi pleurer comme quand j'étais petite. »

Elle ouvre la porte de la cuisine, sort sur la galerie.

« Si y sont là, au moins y vont vous entendre. »

Josaphat ouvre l'étui tout cabossé par les intempéries et les mauvais traitements qu'il lui a fait subir au fil des années, sort son instrument de musique, le caresse un moment – le bois est terne, le vernis a fini par sécher et se fendiller, comme lui son violon se fait vieux –, se saisit de l'archet un peu échevelé et qui aurait bien besoin d'un petit traitement à l'arcanson. Il doit bien en avoir un bout quelque part dans la maison…

« J'improvise ? Je joue un air que t'aimais ?

40

— C't'à vous de décider. N'importe quoi, d'abord que c'est triste.»

Il pose sur son épaule ce vieux compagnon qui le suit partout depuis si longtemps, baisse le menton sur le bois que la sueur, avec le temps, a usé et fait pâlir.

C'est tout simple, sans fioritures, un air que tout le monde connaît et qui vient de si loin que personne ne se souvient plus qui l'a composé – peut-être qu'il s'est fait tout seul, petit bout par petit bout –, une comptine, presque une berceuse, mais joué avec une telle maestria et une telle sincérité que Laura est en larmes au bout de trente secondes.

« Vot' p'tit chien, madame, vot' p'tit chien, madame,
m'a mordu,
Vot' p'tit chien, madame, vot' p'tit chien, madame,
m'a mordu
Tais-toi donc, p'tite menteuse, tu sais pas c'que tu dis.
Monte en haut te coucher, les souris vont te manger…»

Saint-Jérôme, la petite maison blanche de la rue Sainte-Rose, Charlotte, un dimanche après-midi, qui tourne la manivelle de la machine à fabriquer la crème glacée, Laura, huit ans, neuf ans, dix ans, attentive, les yeux ronds, qui le regarde jouer et qui, tout à l'heure, comme chaque fois, comme chaque fois qu'il joue pour elle, va lui demander :

«Comment vous faites ça, popa?»

Quoi répondre? Que ça vient tout seul? Que c'est un talent naturel? Que c'est un cadeau de la vie qu'il ne mérite pas?

Sa consolation et sa survie sont réunies sur une galerie de bois, c'est l'été, il fait beau et pourtant…

Josaphat a rencontré Imelda Beausoleil à la fin des années dix, à l'Auberge du Canada, un bar de la rue Saint-Paul en face du marché Bonsecours, où on essayait d'attirer la clientèle, les fins de semaine, avec ce qu'on appelait un orchestre et qui consistait en un vieux piano droit, faux et déglingué, et, quand Josaphat était libre, un violon. De la sciure de bois sur le plancher, des crachoirs un peu partout, sous les tables, le long du bar – *Claire, va vider les spitoons!* –, une tenace odeur d'alcool bon marché mal digéré et, vers minuit, de vomi et de sueur. Imelda, une forte femme, brassait le piano et Josaphat faisait de son mieux pour la suivre. Personne ne les écoutait, mais c'était de l'argent facilement gagné – un beau dollar, parfois tout neuf, parfois maculé, humide – qu'ils allaient aussitôt dépenser ailleurs, dans un endroit moins strict qui ne respectait pas l'heure de fermeture, souvent un *blind pig* de la rue Craig où on jouait gros et où, pour un autre dollar ou bien des verres gratis, Josaphat sortait son instrument et improvisait des gigues. Le patron pensait que la musique encourageait les clients à dépenser, ces derniers auraient donné cher pour qu'on mette à la porte cet intrus qui les distrayait du jeu avec son insupportable crincrin. Mais personne n'osait se plaindre de sa présence parce que les colères du patron étaient terribles et ses condamnations – *Sors d'icitte, toé, pis que j'te revoye pus jamais la face!* – irrémédiables. C'est donc une musique inutile et la boisson forte qui avaient réuni Imelda et Josaphat, pas l'amour, ils n'avaient jamais prononcé le mot, ils n'y avaient peut-être même jamais pensé. Josaphat, un coup paqueté, trouvait Imelda ragoûtante; Imelda, de son côté, avait l'impression de folâtrer avec un vrai musicien, c'est du moins ce qu'elle se faisait croire lorsqu'il suggérait, avec un air entendu, d'aller chez elle *pour faire de la musique corporelle*. Cette expression la faisait rire et de la musique corporelle ils en exécutèrent pendant un bon bout de temps, du moins jusqu'à ce qu'Imelda apprenne à Josaphat, c'était fatal, c'était inévitable, qu'elle était enceinte. Quand Josaphat, à mots couverts, avait évoqué la possibilité de se débarrasser de l'enfant – ils n'étaient pas en état, ni l'un ni l'autre, de s'en occuper –, Imelda n'avait eu qu'une réponse, courte et irrévocable :

« Es-tu fou, toé ? Chus catholique ! »

Il n'en avait jamais plus été question. Imelda avait continué à jouer à l'Auberge du Canada pendant quelques mois, parfois seule, parfois en compagnie de Josaphat, puis elle avait disparu. Elle avait dit à Josaphat qu'elle ne voulait pas avoir son enfant à l'hôpital de la Miséricorde parce qu'elle refusait de l'abandonner en adoption, qu'elle voulait savoir où il était si elle ne pouvait pas le garder avec elle. Et le voir quand elle en aurait envie. Elle s'était réfugiée chez sa sœur Charlotte, à Saint-Jérôme, qui avait déjà sept enfants et qui avait accepté d'en prendre un autre à charge (quand on est déjà neuf, une dixième bouche ne fait pas beaucoup de différence). À son retour elle avait refusé tout contact charnel avec Josaphat. Elle lui avait dit que ces affaires-là étaient terminées pour elle, qu'aucun homme ne lui grimperait plus jamais dessus, elle était amère, virulente, semblait en vouloir au monde entier et s'était de plus en plus réfugiée, les mains pesantes sur le clavier et le pied sur la pédale, dans la musique… et dans la boisson. C'était une buveuse de bière, un verre trônait toujours à portée de sa main, posé sur le piano, juste au-dessus de sa tête. Entre deux morceaux elle calait le verre qu'on venait de lui apporter pendant qu'elle jouait et levait la main pour qu'on le remplace pendant le morceau suivant. À la fin de la soirée elle jouait n'importe quoi et n'importe comment, dans l'indifférence générale puisqu'on ne l'écoutait jamais de toute façon. Josaphat était de moins en moins capable de la suivre dans ses interprétations erratiques et ne se présentait presque plus à l'Auberge du Canada. Un soir, à l'heure de la fermeture, alors qu'elle essayait de se relever de son banc en riant parce qu'elle avait le vertige et n'était pas sûre de pouvoir tenir sur ses jambes (il lui était arrivé de s'écrouler sur la petite scène en disant qu'elle voulait dormir là, sur le plancher, jusqu'à ce que l'Auberge du Canada rouvre ses portes, le lendemain), Josaphat, qui replaçait son violon dans son étui en sacrant et en se jurant de ne plus remettre les pieds dans ce maudit endroit, avait eu pitié d'elle et, voulant l'aider, lui avait tendu son bras plié pour qu'elle s'y appuie. Elle l'avait regardé droit dans les yeux et ce qu'il avait lu dans son regard lui avait fait peur. Ce qu'elle lui avait dit était confus, sans logique, un ramassis de reproches mal exprimés : elle visait partout, n'importe comment, comme pour se débarrasser des pensées embrouillées qui la hantaient depuis son retour de Saint-Jérôme.

« Tout ça, c'est de ta faute. Vous nous mettez en famille pis vous nous laissez nous débrouiller tu-seules ! Je l'ai eu tu-seule, c't'enfant-là, dans une chambre d'enfant, avec une sage-femme qui avait l'air d'une sorcière, pis je l'ai abandonné, je l'ai abandonné ! J'voulais pas le donner en adoption à une étrangère ça fait que je l'ai donné en adoption à ma sœur ! Je sais où il est, c't'enfant-là, je sais où est notre Laura, mais veux-tu savoir une chose ? Peut-être que j'aimerais mieux pas le savoir ! Parce que j'ai pas les moyens d'aller la voir, de prendre le P'tit Train du Nord pour aller la visiter! J'la verrai pas plus que si est-tait élevée par une étrangère, a' va penser que ma sœur est sa mère pis moé, si jamais je la revois, j'vas être obligée de jouer à la matante! Tout ça parce qu'un homme, un maudit homme, m'a enfirouapée avec son violon pis ses belles paroles! À l'âge que j'ai! Comme une p'tite niaiseuse qui connaît rien à la vie! Pis j'vas-tu passer le reste de mes jours à filer coupable parce que mon enfant va grandir loin de moé pis sans savoir que chus sa mère?»

Elle avait fini la nuit sur le petit lit de camp que le patron gardait dans ce qui lui servait de bureau, un réduit sans fenêtre, étouffant, à côté des toilettes des hommes. Curieusement, alors qu'elle avait refusé l'avortement et l'adoption par une famille qu'elle ne connaissait pas, Imelda s'était peu préoccupée de Laura. Quand elle avait bu elle disait à Josaphat qu'elle préférait oublier son existence, que ça faisait moins mal; quand elle était à jeun elle traînait avec elle une souffrance qu'elle tentait de cacher mais qui transparaissait dans chacun de ses gestes – la main qui se posait souvent sur le cœur, la démarche lourde, comme si elle ne luttait plus contre son embonpoint, elle qui avait toujours tout fait – la gentillesse, le rire facile – pour qu'on oublie qu'elle était grosse. Elle supposait Laura heureuse et noyait dans la boisson toute pensée négative à son sujet. C'est Josaphat qui, en fin de compte, avait emprunté de temps en temps le P'tit Train du Nord pour rendre visite à son troisième enfant. Comme les deux premiers, Gabriel et Albertine, Laura ignorait qu'il était son père et Josaphat s'en désolait. Un jour, Charlotte et son mari avaient fini par avouer à Laura qu'elle n'était pas leur enfant, que son père était le gentil oncle Josaphat qui venait parfois jouer du violon pour elle le dimanche après-midi. Au sujet d'Imelda ils avaient inventé une histoire, prétendant qu'elle était malade et ne pouvait pas se déplacer. Laura, qui se doutait de quelque chose parce qu'elle ne ressemblait pas du tout à ses sept frères et sœurs, avait demandé, le jour de ses quinze ans, qu'on lui parle de sa mère, qu'on lui dise la vérité. Après le récit de ses parents adoptifs, quelque peu tronqué mais assez précis pour piquer sa curiosité, elle avait aussitôt cherché du travail à Montréal, s'était trouvé, grâce à son confesseur, un poste de servante chez le curé d'une des plus grosses paroisses de Montréal, avait, à son tour, pris le P'tit Train du Nord, mais vers le sud, vers Montréal. Et elle avait trouvé une chambre chez les sœurs de la Charité qui tenaient une maison pour jeunes filles, rue Dorchester, en attendant de déménager dans le grand presbytère du boulevard Saint-Joseph.

Son morceau terminé, et pour se donner une contenance, Josaphat, trop ému par les souvenirs qui viennent de s'agiter dans son cœur, pose son instrument sur la table de la cuisine et se met à fouiller dans les tiroirs à la recherche d'un bout d'arcanson. D'habitude il en garde un bout dans l'étui de son violon, mais il a perdu, sans penser à le remplacer, celui qu'il avait glissé à l'intérieur de la petite poche qu'il avait lui-même cousue il y a longtemps dans la doublure de l'étui.

À moins qu'il n'en ait plus et qu'il soit obligé d'aller s'en acheter chez Archambault, à quelques rues de chez lui… Non, là – qu'est-ce qu'il fait là, pour l'amour, parmi les cuillers à soupe ? –, un petit morceau de résine tout sec. Trop sec ? On verra bien…

«Qu'est-ce que vous cherchez comme ça, popa ?»

Il saisit son archet, vraiment trop échevelé, et se met à le frotter, dans un seul sens, de haut en bas, comme le lui avaient montré…

Mon Dieu, il les a oubliées ! Elles doivent patienter sur le petit balcon qui donne sur la rue Amherst. Il n'avait pas eu besoin de le leur demander, elles s'étaient retirées à l'arrivée de Laura. Si elles ont laissé la porte ouverte et s'il tendait l'oreille, il pourrait peut-être entendre le cliquetis des broches… Ont-elles écouté ? Pas juste la petite comptine, mais tout ce qui s'était dit avant ? Vont-elles commenter ?

« Si je frotte pas mon archet régulièrement, les crins finissent par être tout cassants… »

Laura vient s'asseoir à côté de lui pour le regarder travailler.

« Ça sent fort…

— C'est drôle que tu dises ça parce que quand je frotte mon archet, j'peux pas m'empêcher de penser à mon barbier. Quand j'vas me faire couper les cheveux, tu dois te douter que ça m'arrive pas souvent, y me met de l'arcanson, pour qu'y tiennent en place, j'suppose… Quand je sors de là, ma tête sent comme mon archet ! »

Elle pose sa main sur son bras ; il arrête de frotter.

« C'est pas de ça qu'on devrait parler, popa.

— Je le sais. Mais y me semble qu'on a déjà tout dit… Fais pas ça, Laura, essaye pas de la retrouver, tu vas juste te faire du mal… Si jamais tu y arrives, parce que ça va pas être facile.

— Mon idée est faite. Mais j'aurais aimé avoir votre permission, être sûre que vous comprenez pourquoi je fais ça.

— Non, ça, faut pas me demander ça. J'parle pas de la permission, j'parle de comprendre. J'comprends pas qu'on parte à la recherche de quequ'chose ou de quelqu'un en sachant d'avance qu'on va être désappointé. Si tu veux rester à Montréal, reste, mais contente-toi d'aller travailler pour ton curé, même si je sais que tu vaux mieux que ça. J'te l'ai dit, t'es trop jeune pour aller te garrocher, comme ça, dans un monde que tu connais pas pis qui pourrait être dangereux… T'as l'air d'un enfant, Laura, tu pourras jamais entrer dans ces endroits-là…

— J'veux la connaître, popa, j'veux savoir qui c'est, de quoi elle a l'air.

— Même en sachant ce qui t'attend ?

— Je le sais pas ce qui m'attend.

— Ben oui, tu le sais. Tu le sais que j'ai raison. C'est de l'entêtement, Laura, c'est juste de l'entêtement. T'as hérité ça de moi. Tu y ressembles, à elle, mais t'as hérité de ma tête de cochon ! »

Elle sourit, pose les coudes sur la table.

« Mon idée est faite.

— Penses-tu que je le savais pas ? Que ton idée est faite ? Que tu vas faire à ta tête ? Pourquoi t'es venue me voir, Laura ? T'aurais pu faire tout ça sans que je le sache… Montréal est grand, j'aurais pu jamais savoir que t'étais ici… »

Elle sait qu'il va céder si elle appuie sa tête contre son épaule. Qu'il ne pourra plus lui opposer quelque résistance que ce soit.

L'odeur d'arcanson masque un peu les relents de vieux monsieur mal lavé qui montent de ses habits. Le tissu de sa veste est rêche contre sa joue.

« Tu sais comment me prendre, hein ?

— J'aimerais ça que vous me rejouiez *Vot' p'tit chien, madame…*

— Tu veux que je te fasse encore pleurer ?

— Non, c'te fois-là, j'vous promets que je pleure-
rai pas.

— J'te crois pas.

— Vous avez ben raison. Allez-y, faites-moi pleurer, ça me fait du bien. »

Il lève la tête. Elles sont là, toutes les quatre, elles
viennent d'entrer dans la cuisine. Elles lui font signe
de prendre son violon.

Il va donc jouer pour elles cinq.

Un petit vent du sud avait poussé toute la journée des bouffées d'été trompeuses. Une promesse hypocrite qui avait exacerbé les nerfs des Montréalais, les rendant trop optimistes et joyeux. On aurait pu penser que le mois d'août était revenu, que rien ne menaçait à l'horizon, que les arbres ne rougiraient pas, que les feuilles ne se détacheraient pas des branches sous les coups de butoir du vent d'automne, que les six mois d'enfermement n'auraient pas lieu, cette année, faute de neige, que l'hiver avait une fois pour toutes été rayé du calendrier.

En plus, c'était dimanche.

Maria et Fulgence, après une courte marche autour du bloc, à louvoyer entre les enfants qui jouaient sur les trottoirs et leurs chiens qui leur couraient après, se sont installés sur le balcon de l'appartement de la rue Montcalm, chacun dans sa chaise berçante. Maria dévorait une tablette de chocolat Oh Henry!, Fulgence léchait un cornet de crème glacée d'une grosseur presque indécente : trois boules – vanille, fraise, chocolat – posées en déséquilibre sur un cornet gaufré format géant doublé d'une couche de chocolat et saupoudré de brisures de bonbons. Ils n'ont rien dit pendant tout le temps qu'ils mangeaient puis, leur gâterie du dimanche soir terminée, se sont léché les doigts avant de s'essuyer les mains avec des serviettes de papier.

Maria se penche, jette les papiers sales dans le cendrier qu'ils n'ont pas encore commencé à remplir. Ce qui ne saurait tarder, les deux paquets de cigarettes et la boîte d'allumettes Eddy sont posés sur la rambarde de bois qui aurait bien besoin d'une couche de peinture. Au printemps, a dit Fulgence. Mais Dieu sait où ils seront, au printemps…

« Si ça pouvait durer comme ça… »

Fulgence hausse les épaules sans lever la tête pour lui répondre. Il est en train de regarder les tavelures qui tachent ses mains, ce que Maria appelle les taches de son de la mort et qui la font sacrer chaque matin quand elle sort de la baignoire. Parce qu'elle en a plus que lui. Et qu'elles sont plus grandes. Et plus foncées. Sa sœur Tititte lui a dit qu'il existait des crèmes pour les effacer, mais elle n'est pas sûre de la croire. Une crème pour effacer les taches ça s'appelle du maquillage, non ? Et le jour est encore loin où elle commencera à se mettre du maquillage sur les mains.

« Tu sais ben que ça se peut pas. L'automne s'en vient.

— Ben oui, mais c'est pas une raison pour pas rêver ! »

Fulgence semble hésiter avant de parler, comme s'il n'osait pas aborder un sujet trop délicat pour une si belle soirée. Il se décide après une courte toux qui cachait mal sa gêne. Son malaise est évident.

« As-tu pensé à ce que je t'ai dit, l'autre soir ?

— Tu me dis tellement d'affaires chaque fois qu'on se voit qu'y faudrait que tu sois un peu plus clair, Fulgence…

— Maria, sois pas de mauvaise foi, tu sais très bien de quoi je veux parler. »

C'est vrai. Elle le sait. Mais elle hésite encore. Si jamais ils mettent le projet de Fulgence à exécution, elle ignore où ça pourrait les mener. Sera-t-elle capable de s'arrêter au bout du chemin qu'ils s'étaient fixé? N'aura-t-elle pas, elle, envie de continuer, d'aller plus loin sans jamais se retourner? Saura-t-elle se dompter, prendre son courage à deux mains et revenir manger sa Oh Henry! tous les dimanches soir sur la galerie, l'été, et devant le poêle à bois, l'hiver?

« Y as-tu pensé?

— Ben oui, j'y ai pensé. Pis, t'as raison, c'est pas le temps qui nous manque… »

Elle s'allume une cigarette.

Pendant quelques secondes ça sent très fort le soufre, ça empêche presque de respirer.

« Ça fait que c'est oui?

— Ça fait qu'y faut que j'y pense encore.

— Pourquoi? Depuis quand tu refuses des voyages? »

Elle se tourne vers lui après avoir expulsé sa fumée devant elle pour ne pas l'incommoder.

« Un voyage, Fulgence, ça veut dire qu'on a l'intention de revenir. Un voyage, ça a un départ pis un retour. Moi, quand je pars… »

Maria a quitté le Paradise depuis près d'un an. Après deux longues décennies à servir de la boisson aux mêmes soûlons qu'elle avait fini par considérer comme des neveux ou des oncles dont elle devait prendre soin – seule l'arrivée des *vieux garçons*, quelques années plus tôt, avec leur sens du ridicule, leurs pitreries et leur bonne humeur, avait mis un peu de piquant dans cet antre de la déprime –, elle en avait eu plus qu'assez et, un bon soir, sur un coup de tête, elle était allée voir le patron pour lui dire qu'elle ne rentrerait pas le lendemain. Ni les autres soirs. Il avait eu beau protester, prétendre qu'elle n'avait pas le droit de lui faire ça, qu'il n'avait personne pour la remplacer à pied levé, elle savait qu'au fond il était soulagé et que plusieurs de ses petites amies, toutes taillées dans le même gabarit, jeunes, blondes, plantureuses, n'attendaient que son départ pour prendre sa place sur le plancher collant du Paradise. Elle était aussi consciente que si le patron la gardait, c'était plus parce que la clientèle l'aimait. Son efficacité laissait à désirer depuis un bon bout de temps, à cause de son âge, son rhumatisme rendait parfois ses déplacements difficiles. Et, elle devait bien se l'avouer, son écœurement était de plus en plus prononcé pour l'atmosphère déprimante qui régnait dans le Paradise de neuf heures du soir à la fermeture et pour l'odeur, la maudite odeur. De l'endroit et de la clientèle.

On lui avait fait une belle fête, un mardi, un soir creux, les *vieux garçons* avaient improvisé un petit numéro au cours duquel ils s'étaient gentiment moqués d'elle (ils la connaissaient peu parce qu'elle ne servait pas le *ringside*, la section qui leur était réservée, aussi ne l'avaient-ils pas caricaturée comme ils auraient pu le faire de Madeleine, par exemple, leur serveuse attitrée, qui leur servait leur poison souvent en maugréant parce qu'elle n'appréciait pas leur méchanceté), le patron lui avait donné un généreux bonus – *pour te gâter, un peu, tu l'as ben mérité…* –, les autres serveuses avaient fait semblant d'essuyer quelques larmes, et elle avait quitté le

Paradise à minuit pile, sans se retourner, et en se jurant de ne jamais le regretter.

Elle ne le regrette pas, mais elle meurt d'ennui.

Dernièrement elle a marié ses deux filles, Béa et Alice – une double cérémonie, très intime parce qu'elle n'avait pas les moyens de refaire la folie du mariage de Nana –, et s'est retrouvée seule dans le grand appartement de la rue Montcalm avec son fils, Théo, un jeune homme dégingandé et timide de vingt-deux ans qui n'a aucun projet d'avenir et qui s'est trouvé un emploi dans les conserveries Raymond, rue Panet, en attendant, prétend-il, de viser plus haut.

Un temps, pendant peut-être quelques mois, elle a plutôt aimé se tourner les pouces, le soir, en écoutant la radio – les comiques américains qui la faisaient éclater de rire dans le grand salon vide, les chansons françaises qu'elle finissait par savoir par cœur à force de les entendre – ou en lisant des romans, tout ce qui lui tombait sous la main, Victor Hugo ou Henry Bordeaux, qu'importe, puis, était-ce la solitude, le manque de bruit, la tranquillité, uniforme et immuable dans cette grande maison, un ennui insidieux avait commencé à se faire sentir, même au milieu d'un livre pourtant intéressant ou d'un programme avec Bob Hope, l'homme le plus drôle du monde. Il y avait bien les parties de cartes avec ses sœurs pour se désennuyer, mais c'était un seul soir par semaine et beaucoup moins amusant qu'autrefois. Monsieur Rambert, aussi, qu'elle voyait les weekends – il était loin, lui, cependant, d'être l'homme le plus drôle du monde –, qui l'emmenait manger chez Geracimo avant la séance de neuf heures du cinéma

Saint-Denis le samedi soir – Pierre Richard-Willm dans *Stradivarius*, Edwidge Feuillère en *Lucrèce Borgia* – et faire une promenade dans le quartier le dimanche. Ce n'était pas assez. Elle commençait à étouffer. Toute cette immobilité après tant d'années à courir d'un bord et de l'autre dans la fumée de cigarette et les relents d'alcool. C'est ça qui manquait. La vie. Il manquait la vie. En tout cas, le mouvement. Le mouvement perpétuel, serait-ce dans un endroit confiné comme le Paradise.

Quoi faire ? Retourner comme cliente au Paradise ? S'asseoir près du *ringside* pour écouter les élucubrations de la duchesse de Langeais, le beau-frère de Nana à qui elle a juré de ne jamais dévoiler à sa famille sa vraie nature, plus par pitié que par compassion, et les vantardises de Xavier Lacroix, un acteur sans travail depuis qu'il a, par inadvertance, c'est du moins ce qu'il prétend, fait tomber Germaine Giroux sur la scène de l'Arcade, au milieu d'une tirade de *Madame Sans-Gêne* ? La même chose qu'autrefois, mais dans l'apathie des buveurs, avec une bière qui tiédit sur la table devant elle parce qu'elle ne boit pas ?

Quoi d'autre, alors ?

Partir. Voilà. Ce qu'elle a toujours fait quand l'écœurement la prend. La fuite.

Mais la fuite, à son âge…

D'abord, où aller ?

Et quoi faire une fois arrivée ?

Son corps n'a plus la force d'endurance qu'il avait, elle a parfois l'impression qu'il l'abandonne morceau par morceau – des petits maux ici, d'autres, plus graves, là, des faiblesses soudaines, les maudites taches de son de la mort qui se multiplient, la fatigue si vite venue –, que le début de la vraie vieillesse l'attend. Elle le voit, parfois, du coin de l'œil, quand elle passe devant un miroir et qu'elle aperçoit ce que sa silhouette est devenue. Épaissie et courbée, elle qui a toujours été si fière de la minceur de sa taille et de son port de reine.

À cause de la maudite immobilité. Du maudit désœuvrement.

Le repos bien mérité? Elle est reposée depuis longtemps, du moins dans sa tête. Là est le principal problème, d'ailleurs. Sa tête n'a jamais besoin de repos bien longtemps, mais son corps refuse désormais de la suivre. Sa tête partirait en voyage n'importe quand, irait explorer de nouveaux horizons, comme ils disent dans les romans qu'elle dévore parce qu'ils se passent en Asie ou au fin fond de l'Afrique, sa tête visiterait Prague, Paris, Vladivostok et même Providence, dans le Rhode Island, oui elle retournerait même là où elle avait cru trouver le bonheur, trente-cinq ans plus tôt, alors que l'y attendaient une machine infernale qui tissait du coton dans un vacarme assourdissant et un marin français qui disparaîtrait après lui avoir fait trois filles.

Partout sauf ici?

Quand elle se donne la peine d'y penser, elle sait bien que c'est faux, que ces voyages chimériques ne seraient en fin de compte que de simples déplacements, qu'ils ne sont que des illusions derrière lesquelles se cache l'idée qu'elle ne sera jamais bien nulle part très longtemps. À Paris elle rêverait d'ailleurs, ailleurs elle chercherait où aller. Où se réfugier. Pour un temps. Pour mieux repartir. Mais pour où?

En attendant elle est assise dans sa chaise berçante – dans un roman, dernièrement, elle a appris qu'en France ça s'appelle un fauteuil à bascule et elle a beaucoup ri – à côté de Fulgence Rambert, l'ennui personnifié et le père de son quatrième enfant, qui est loin de se douter de ce qu'elle brassait dans sa tête, tout à l'heure, pendant qu'elle terminait sa Oh Henry! et qu'il ramenait timidement sur le plancher ce projet auquel il semble tant tenir, un court voyage, tout seuls tous les deux, à Québec.

Une petite virée. Pour lui changer les esprits, à elle. Et la gâter. Le Château Frontenac, les promenades en calèche, un film ou deux, peut-être une pièce de théâtre, le café Buade où on mange si bien.

Une goutte d'eau dans l'océan, un minuscule mieux que rien. Une escapade de quelques jours alors qu'elle aurait besoin d'une aventure rocambolesque à travers les steppes de Russie ou le désert du Sahara. Sa tête, en tout cas. Elle sourit tristement. Elle se voit mettre sa tête dans une boîte, la poster, l'envoyer quelque part aux antipodes – le Japon, la Chine – pendant que son vieux corps se repose ici, à Montréal, province de Québec, Canada.

«Pourquoi tu ris comme ça?»

Elle a ri?

«J'm'en rendais pas compte. J'devais penser à que-qu'chose de drôle…»

Elle appuie la tête contre le dossier de sa chaise.

Doucement. Prends une grande respiration. Réfléchis. Sois… quoi? Raisonnable. Oui. Malheureusement. Sois raisonnable. Prends ce qui passe. Pour passer le temps. Pour survivre.

«T'sais, ton projet de prendre le train pour Québec…»

Il est aussitôt sur le bord de son *fauteuil à bascule*, comme un petit garçon à qui on va peut-être accorder une permission.

«Oui?

— J'y ai ben réfléchi.

— Pis?

— C'est vrai que ça nous ferait peut-être du bien. Quand est-ce qu'on part?»

Avant que Fulgence n'ait le temps de sauter sur ses pieds – soixante-cinq ans et encore si agile! –, la porte s'ouvre derrière eux.

Théo. Les cheveux ébouriffés. Il doit sortir d'une de ses nombreuses siestes, à croire qu'il est diabétique et qu'il a des montées de sucre qui le terrassent après les repas.

Théo. Qui n'a jamais su se débrouiller.

Qu'est-ce qu'il va faire, tout seul, pendant que ses parents batifolent dans une calèche à Québec?

Lorsque Maria a appris à Théo que Fulgence Rambert était son père, avec le plus de délicatesse possible, en choisissant bien ses mots, il n'a pas réagi. Il a continué à manger ses céréales en silence, au point qu'elle s'est demandé s'il avait bien compris ce qu'elle venait de lui dire. Elle a recommencé en parlant plus lentement, supposant qu'il avait le cerveau embrumé comme ça lui arrivait souvent le matin, mais il lui a fait signe qu'il avait entendu.

«C'est tout l'effet que ça te fait?»

Il a porté son bol à ses lèvres, a bu le reste du lait sans se presser alors qu'il savait que ça déplairait à sa mère qui avait toujours exigé un minimum de déco-rum à table. Il a même roté en déposant son bol sur la toile cirée.

Maria a supposé que c'était une réaction normale, la provocation un peu infantile d'un adolescent qui ne

sait quoi répondre devant une nouvelle qui le boule-
verse, elle n'a donc pas insisté, se disant qu'il viendrait
lui en parler quand il serait prêt. Ce qui faisait plutôt
son affaire : elle redoutait les longues explications – la
vie à Providence, le manque d'argent après la disparition
en mer de son mari, monsieur Rambert, arrivé juste à
point, si gentil, si protecteur, sa faiblesse passagère, elle
qui se vantait tant de son indépendance, le décourage-
ment quand elle avait appris qu'elle était enceinte. Le
retour à Montréal, aussi, qu'elle n'avait jamais expliqué
à ses enfants, sauf pour leur dire que le mal du pays en
était la principale cause, ce qui n'était qu'en partie vrai.

Avant de quitter la table Théo n'avait dit qu'une
chose, une simple phrase prononcée à mi-voix qui
avait jeté sa mère dans un grand état de confusion :

« Pensez-vous que c'est drôle, moman, d'apprendre
que son père est un insignifiant pareil ? »

Pendant que Maria était submergée par une vague
de culpabilité – pourquoi j'y ai dit ça, j'aurais dû me
taire, y aimait mieux pas savoir –, Théo s'était préci-
pité chez sa sœur Nana, rue Papineau, à l'autre bout
de la ville. Le trajet en autobus lui avait paru inter-
minable et c'est au bord des larmes qu'il était arrivé
à destination.

C'était un jeudi, Nana faisait son repassage.

Ses deux plus vieux étaient à l'école, les deux autres,
deux garçons, Richard et Philippe, qu'on appelait
Coco et Flip, couraient autour d'elle dans la cuisine.
Flip portait encore la couche et ça ne sentait pas très
bon dans la pièce.

Comme Théo entrait dans la cuisine – la porte
de l'appartement n'était pas verrouillée, Nana disait

toujours qu'ils n'avaient rien à voler –, Coco criait justement à sa mère :

« Flip, y pue, moman ! »

Flip avait éclaté de rire :

« J'pue, moman ! Changer la couche ! »

Nana s'était essuyé le front avec un linge sec, avait relevé une mèche de cheveux qui lui tombait devant les yeux avant d'embrasser son frère.

« Y me semblait que tu m'avais promis d'être propre, Flip… »

Flip avait ri de plus belle. Coco semblait déçu. Il s'était sans doute attendu à ce que son frère se fasse punir, au lieu de quoi Nana avait pris Flip dans ses bras et l'avait étendu sans même le rabrouer sur la table de la cuisine, à côté des chemises fraîchement repassées de leur père.

« Ton oncle Théo travaille peut-être dans une usine à confiture, mais toi t'es une autre sorte d'usine… »

C'est donc en se bouchant le nez que Théo avait raconté ce que leur mère venait de lui apprendre.

Nana l'avait écouté sans l'interrompre, concentrée sur les gestes répétés à l'infini depuis dix ans, refoulant le léger haut-le-cœur qu'elle ressentait chaque fois qu'elle changeait une couche – il y a des choses auxquelles on ne s'habitue pas –, précise, efficace, tendre avec son enfant malgré la tâche ingrate qu'elle exécutait. Les fesses de son fils bien talquées, la couche propre attachée à l'aide de deux épingles à nourrice, l'enfant fleurant bon la poudre de bébé déposé sur le plancher, Nana s'était accoudée à côté de son frère.

« Tu t'en doutais pas ?

— Non, toi ?

— Moi, je le sais depuis longtemps.

— Moman te l'a dit ?

— Non. Mais tu nous ressembles tellement pas, à Alice, Béa pis moi… Pis avec la présence de monsieur Rambert qui tourne autour de maman depuis toujours… T'as jamais remarqué que vous avez les cheveux de la même couleur, toi pis lui? T'es quasiment blond, Théo, pis nous autres on a toutes les cheveux noirs…

— T'avais deviné que c'était lui à cause de mes cheveux?

— Ça, pis d'autres affaires. La façon que monsieur Rambert a de te regarder, par exemple… Mais c'est des choses dont on parle pas, hein… J'me disais que quand moman serait prête a' nous en parlerait… Quel effet ça te fait? C'est-tu de ça que tu veux me parler? T'as l'air… comme… désappointé… »

Théo n'avait pas l'habitude des longs discours – ses sœurs l'appelaient souvent Théo-le-silencieux –, mais ce matin-là il s'était déchargé le cœur, peut-être pour la première fois de sa vie.

« Désappointé? Écoute… Notre père… enfin, votre père à vous autres, était un marin au long cours, y traversait l'Atlantique deux ou trois fois par année d'après maman, c'était une sorte d'aventurier. Quand j'étais petit je pensais même que c'était un pirate, avec une patch sur l'œil pis une épée entre les dents! Je l'avais pas connu, ça fait que je pouvais l'imaginer comme je le voulais! Pis quand chus tombé sur *Les enfants du capitaine Grant*, je l'ai tu-suite vu débarquer en Amérique du Sud pis traverser la Patagonie, même si la job d'un marin c'est d'être sur la mer! Je le voyais même en Long John Silver, avec la jambe de bois pis la bouche édentée! Mon père cherchait un trésor sur une île perdue, c'est-tu pas merveilleux? Tout ce temps-là je l'attendais, parce que je l'ai attendu tout ce temps-là, surtout que moman disait jamais qu'y était mort, a' disait juste qu'y était perdu en mer. Mon père était *perdu en mer*! Je le voyais dans tous les romans que je lisais, c'était un héros, mon père était un héros, Nana, c'était Douglas Fairbanks, c'était Errol Flynn! Jusqu'à à matin...

— À l'âge que t'as, Théo, t'es capable d'accepter que ton père est pas un héros, jamais je croirai...

— Mais pendant tout ce temps-là, Nana, je rêvais pour rien!

— On rêve jamais pour rien.

— Ça veut dire quoi, ça? »

Elle s'était levée parce que Coco et Flip se tiraillaient, avait tenté de faire revenir la paix entre eux – ce qui n'était pas évident quand Coco se mettait à chatouiller son petit frère qui détestait ça –, puis elle avait versé deux tasses de café avant de revenir se rasseoir à côté de Théo.

« Si tu l'avais appris avant, quand t'étais petit, tous ces rêves-là existeraient pas, Théo. Aurais-tu rêvé au père de tes trois sœurs? Non. T'aurais été jaloux de nous autres, tu nous en aurais probablement voulu, t'aurais peut-être même méprisé le tien parce que c'était pas un aventurier, pis tu serais peut-être devenu quelqu'un d'autre, quelqu'un de méchant au lieu du Théo si doux pis si fin qu'on a connu... Pis avoue que ton enfance aurait été plutôt plate... »

Il avait bu quelques gorgées en réfléchissant à ce que venait de lui dire Nana.

« En attendant, y faut que j'accepte que mon père est un ancien gérant de banque...

— Y a suivi notre mère de Providence jusqu'ici par amour, Théo, y a refait sa vie pour elle, c'est pas rien!

— Mais c'est ben loin d'Errol Flynn.

— Mais c'est beau, Théo, pis ça demande du courage.

— Pas au point de l'admirer comme si c'était un héros. Pis après toute, t'as peut-être raison. Ça se peut que j'aie passé l'âge de rêver.

— C'est pas ça que j'ai dit. R'garde, moi, j'ai trente-trois ans, chus mariée, j'ai quatre enfants pis je continue à rêver! Sinon je mourrais! Les rêves, ça sert à continuer! Mets tout ça en arrière de toi, Théo. Garde tout ça… précieusement. Sans en vouloir à moman. Pis passe à autre chose.

— À quoi? J'travaille dans la confiture, Nana, je sens le sirop pis les fraises quand je rentre chez nous! J'ai beau me laver, les filles trouvent que je sens comme un enfant!

— Ça a rien à voir avec monsieur Rambert, Théo, mélange pas toute, là!

— Pis monsieur Rambert, justement, comment j'vas l'appeler à c't'heure que je sais tout ça? Papa? Y en est pas question! J'serais jamais capable!»

La conversation avait été interrompue par l'arrivée des deux plus vieux enfants de Nana qui revenaient de l'école. Il était près de midi, ils devaient y retourner pour une heure dix.

Théo avait refusé de rester chez sa sœur pour manger avec eux. Il était reparti avec en tête plus de questions que de réponses.

Et il ne s'adressait presque plus à Fulgence Rambert parce qu'il ne savait pas comment l'appeler. Il attendait que son père lui parle et lui répondait par monosyllabes.

Ce soir-là Théo a mis son complet neuf dans lequel il se trouve un peu engoncé.

Quand il l'a montré à sa mère, tout fier de son achat, quelques jours plus tôt, elle lui a dit qu'il était un peu étroit pour lui. Il a répondu que c'était à la mode. Elle ne l'a pas cru et lui a dit qu'il devrait aller l'échanger.

Maria s'est retournée sur sa chaise pour scruter son fils des pieds à la tête.

« Oùsque tu t'en vas, tout déguisé, comme ça ?

— Au théâtre Amherst. Voir *Les misérables*. Y paraît que c'est ben bon, que Frederic March est ben impressionnant en Jean Valjean… Pis arrêtez donc de critiquer comment je m'habille.

— On voulait y aller, nous autres aussi, voir *Les misérables*. Mais j'aime pas ben ben l'autre, là, Charles Laughton. Y me fait peur. Pis y est tellement laid… Peut-être la semaine prochaine. »

Court silence embarrassé. Théo doit passer entre leurs deux chaises et il n'y a pas assez d'espace. Fulgence se lève, déplace la sienne. Théo le remercie en se faufilant.

Maria se penche, pige une cigarette dans son paquet.

« T'en vas-tu rejoindre des amis ? »

Théo se retourne sur le trottoir.

« Non, j'y vas tu-seul.

— T'es toujours tu-seul, Théo…

— Peut-être que j'aime ça…

— Peut-être que t'es trop renfermé pour te faire des amis, aussi…

— Moman, on réglera rien à soir au milieu du trottoir, hein ? Ni ma façon de m'habiller, ni le fait que j'ai pas beaucoup d'amis…

— On dirait que t'en as pas pantoute, des amis…

— Bonsoir, maman… J'vous dirai si c'était bon… »

Il s'éloigne vers la rue Dorchester, mains dans les poches et cigarette au bec. Le cinéma est à peine à dix minutes de marche.

Fulgence écrase sa cigarette dans le cendrier.

«Au moins, y m'a dit merci.»

Jean Valjean a volé les chandeliers du curé, Javert l'a arrêté alors qu'il s'apprêtait à fuir, le curé a menti au policier en lui faisant croire qu'il avait donné les chandeliers à l'ancien forçat, l'exonérant ainsi de tout méfait. Javert a juré vengeance avant de se retirer. Devenu maire d'une petite ville, Jean Valjean sauve la pauvre Cosette des mains des épouvantables Thénardier… Les acteurs sont bons, les décors spectaculaires, le noir et blanc donne du caractère aux visages, les femmes pleurent autour de lui, les hommes se raclent la gorge, mais Théo éprouve de la difficulté à se concentrer sur ce qui se passe à l'écran. Il a pourtant adoré le roman qu'il a dévoré en une petite semaine quelques années plus tôt. Javert déclenchait en lui des crises d'angoisse plus grandes encore que la créature de Frankenstein ou le comte Dracula, les Thénardier le terrorisaient, l'empêchant de dormir, l'adolescent se révoltait devant les injustices faites au héros et s'enflammait devant les envolées poétiques de l'auteur.

Mais, malgré le grand intérêt du film, il ne peut s'empêcher de penser à elle.

Elle s'appelle Fleurette, elle travaille avec lui aux conserveries Raymond, c'est la plus belle créature qu'il ait jamais vue… et il n'a pas encore osé l'aborder. Il se traite d'imbécile depuis des mois, de cliché ambulant – le gars trop gêné pour se présenter à la fille de ses rêves et qui risque de la perdre à tout jamais, surtout que d'autres gars, plus délurés, tournent autour d'elle. Pour le moment elle leur résiste, mais elle va finir par flancher, c'est sûr : certains d'entre eux sont plutôt beaux garçons et baraqués – ceux qui font la livraison en camion –, alors que lui n'a l'air de rien. Qu'aurait-il à lui offrir à côté d'eux ? Pourquoi regarderait-elle seulement dans sa direction ? Il n'a à peu près rien pour plaire.

Gavroche arrive avec sa gouaille de titi parisien – même en anglais –, tout le monde le trouve ben cute et Théo décide de quitter le théâtre avant qu'il ne se fasse massacrer sur les barricades ; il n'a pas envie d'entendre les cris d'horreur et les sanglots des spectatrices.

Il aurait dû rester chez lui, s'enfermer dans sa chambre avec *Le rouge et le noir* dans lequel il essaie en vain de se plonger depuis quelques semaines. C'est ce qui arrive quand on lit tout ce qui nous tombe sous la main – comme sa mère, comme sa sœur, il ne peut pas voir un livre sans se jeter dessus –, on finit par tomber sur des choses qui nous dépassent et on sèche, la tête pleine de questions, en se sentant diminué et en doutant de son intelligence. Mais il sait qu'il n'aurait pas pu se concentrer sur l'œuvre de Stendhal plus que sur le film qu'il vient de voir.

Tant qu'à rêver, il décide de se promener sur la Catherine, d'errer sans but en pensant à elle, à ses belles joues rouges, à la frange de cheveux qui lui barre le front et, pourquoi pas, pourquoi s'en priver, à ce que cachent les blouses attachées jusqu'au cou qu'elle porte au travail.

Qui sait, il lui viendra peut-être une idée, un plan…

La première fois que le docteur Woolf l'a amenée au restaurant situé au neuvième étage de chez Eaton, Tititte a eu le souffle coupé. Elle n'aurait jamais pu imaginer qu'un local aussi immense et d'une telle richesse puisse exister dans un grand magasin. C'était en 1931, le restaurant venait d'ouvrir, et le docteur Woolf avait décidé, un vendredi midi, de faire une surprise à Tititte : pour une fois, ils n'iraient pas chez Murray's manger en vitesse une soupe aux légumes et un plum-pudding au milieu de vieilles Anglaises snobs, mais dans ce nouvel endroit à la mode dont tout le monde faisait l'éloge. Il avait dit à Tititte de prévenir quelques jours à l'avance son patron qu'elle serait absente pour une couple d'heures – sans penser qu'elle ne serait pas payée pour le temps perdu –, ils avaient marché de chez Ogilvy où travaillait Tititte jusque chez Eaton, avaient pris l'ascenseur…

Depuis, ils y reviennent chaque vendredi. Ils ne mangent plus lentement comme la première fois, cependant, ils font vite, Tititte n'a pas les moyens de perdre une heure de travail et doit réintégrer son comptoir de gants pour treize heures. Chaque fois la même émotion la saisit devant cette immense nef Art déco aux murs peints en vert eau, pêche et orange, aux décorations tout en volutes – feuilles d'acanthe et frises grecques – et au plancher de marbre. Le plafond à caissons, encore du marbre, est aussi haut que celui d'une cathédrale.

Ils choisissent le buffet froid, plutôt bien garni, et papotent en s'imaginant en transit, entre New York et Le Havre. Sur l'*Île de France*. En première classe.

Le docteur Woolf a expliqué que Lady Eaton – oui, il existait bien des gens appelés Eaton, un lord multi-millionnaire et sa femme – avait demandé que le restaurant qu'on s'apprêtait à construire au neuvième étage du magasin de Montréal, il y en avait d'autres au Canada, soit la réplique exacte de la salle à manger des premières classes de l'*Île de France* sur lequel elle avait deux ou trois fois traversé l'Atlantique. *It's more than a boat, it's a world by itself! And that dinner room!* Et cet invraisemblable restaurant était né. On disait que Lady Eaton descendait parfois de sa maison de Westmount, quand elle était à Montréal, pour y dîner incognito, se mêlant aux clients, leur demandant ce qu'ils en pensaient, s'ils mangeaient bien, s'ils étaient bien traités, et rougissait de plaisir sous les commentaires toujours élogieux, souvent de la part de gens qui l'avaient reconnue.

Il arrive d'ailleurs à Tititte de se demander si telle ou telle cliente chic n'est pas Lady Eaton elle-même, surtout si c'est une vieille dame qui s'adresse à des inconnus. Elle a même préparé une sorte de petit compliment, dans son meilleur anglais, si jamais Lady Eaton l'approchait…

Les serveuses, toujours les mêmes depuis quatre ans, stylées, d'une propreté irréprochable dans leur uniforme qui ressemble à celui d'une garde-malade, et d'une désarmante gentillesse, ont fini par les reconnaître avec le temps et les reçoivent comme des amis dont on attend toujours la visite avec plaisir. Certaines ont remarqué qu'ils ne portent pas d'alliance et de drôles de ragots, bien sûr à leur insu, courent à leur sujet au neuvième étage du magasin Eaton. Un vieux couple illégitime ? De simples amis ? Un rendez-vous clandestin hebdomadaire ? Si leur rendez-vous était secret, cependant, pouvaient-ils se sentir en sécurité, un vendredi midi, jour de paye, dans un des endroits les plus fréquentés de la rue Sainte-Catherine ?

Les questions restent sans vraies réponses, mais celles qu'on trouve, ou plutôt qu'on invente, sont épicées, originales et parfois même absurdes. Et très loin de la vérité, plus crue et plus excitante que toutes les hypothèses qu'on peut faire.

Le docteur Woolf enfonce sa cuiller dans son Jell-O à la limette auquel il a ajouté du lait et du sucre. On dirait des glaciers verts sur une mer blanche. Tout en sirotant son thé Tititte observe ses mains, longues et fines, si innocentes là, maintenant – la gauche tenant la coupe qui contient le dessert, l'autre qui monte vers la bouche pour ensuite replonger dans la gélatine molle – et qui pourtant, certains soirs, lui procurent tant de plaisir. Des mains qui lui ont appris la sensualité, elle qui croyait que ce genre de sensation lui était interdit parce qu'aucun homme, jamais, ne s'était approché d'elle. Et qui avait trouvé sous les caresses expertes, oui, expertes, du docteur Woolf des jouissances insoupçonnées, défendues et absolument exquises.

(Dans sa jeunesse elle a été mariée à un homme que les choses du sexe n'intéressaient pas et elle en a toujours gardé un désagréable goût d'amertume, une espèce de vague culpabilité, comme si elle avait été la cause du désintérêt de son mari pour le corps de la femme. Après ce mariage blanc elle s'est habituée au célibat un peu comme les religieuses sont obligées de le faire et a fini par accepter le deuil du corps de l'homme et de ce qu'il peut cacher. De beau ou d'effrayant.)

Il ne va jamais chez elle, elle ne se rend jamais chez lui. Le docteur Woolf loue une chambre dans un hôtel, toujours différent et haut de gamme, ils s'y présentent séparément, se déshabillent en silence. Après quatre ans de ces fréquentations, il l'appelle encore mademoiselle Desrosiers et elle docteur Woolf. Ils ne se tutoient pas, n'utilisent pas leur prénom, restent polis et circonspects tant qu'ils ne s'approchent pas du lit. Mais ce qui se passe dans ce lit, et qui fait rougir Tititte quand elle y pense, dépasse tout ce qu'elle aurait pu imaginer en exploration et en audace. Elle crie, elle qui s'est toujours retenue, en s'adonnant à des choses sans doute conspuées par toutes les religions, pas seulement par la sienne, elle rit aux éclats, elle pleure à chaudes larmes dans des positions qu'elle n'oserait jamais avouer à qui que ce soit. Et lui fait de même tout en restant attentif à ce qui se passe entre eux, gardant le contrôle mais la laissant, elle, libre d'explorer si elle en a envie. Et ce n'est pas l'envie qui manque à Tititte.

En sortant de l'hôtel après chaque rendez-vous, elle se dit que si elle a connu tout ça sur le tard, à l'âge où les grands-mères ont depuis longtemps oublié que l'amour physique existe – c'est du moins ce qu'elle croit –, elle va tout faire pour rattraper le temps perdu dans les bras de cet homme qui connaît tout du corps des femmes et qui sait mener le sien au bord de l'extase. Une guidoune ? Pourquoi pas ! Mais pas comme sa cousine Ti-Lou, pas pour gagner sa vie, non, pour le plaisir, pour le simple plaisir. Qui, en fin de compte, n'est pas si simple. On ne lui avait jamais expliqué que *l'acte charnel*, comme l'appelaient les curés, pouvait être autre chose qu'une routine, toujours désagréable pour la femme, dans le but de procréer, de perpétuer la race. Ils ne faisaient rien, eux, les curés, pour perpétuer la race, mais, et sans aucun scrupule, ils obligeaient les femmes à traverser quinze, vingt grossesses. Dans leur haine du corps de la femme et leur peur de la sexualité féminine ils démonisaient tout ce qui touchait au sexe et, s'ils permettaient aux hommes de se comporter comme des porcs avec leurs femmes – il faut bien que le corps exulte, même si c'est dégoûtant –, ils terrorisaient ces dernières, les tentatrices, les filles d'Ève, et leur faisaient payer les péchés de leurs maris.

Tititte peut tout de même dire que perdre sa virginité à près de soixante ans est un des plus beaux cadeaux que la vie lui ait réservé.

Si Teena savait! Maria, elle, comprendrait peut-être mieux, mais Teena qui la croit au-dessus de tout ça!

Le dessert terminé, l'addition livrée, le docteur Woolf, galamment, va tirer la chaise de Tititte qui se lève en finissant d'enfiler ses gants. Qu'elle a empruntés à son comptoir, chez Ogilvy, parce qu'elle n'a pas les moyens de s'en payer d'aussi beaux.

Elle replace son chapeau pendant qu'il paye. La caissière les regarde avec un drôle de sourire. Tititte se dit *elle sait, elle devine, ça doit paraître*, et décide de ne pas baisser les yeux, surtout de ne pas rougir. Mais ça, le rougissement, c'est difficile à contrôler et c'est une pivoine en pleine maturité qui sort du restaurant.

Le corridor qui mène du restaurant à l'ascenseur est aussi impressionnant que le restaurant lui-même. Marbre, Art déco, arabesques. Tititte se sent belle, importante, et si elle était moins timorée elle utiliserait le mot *amant* et le mot *maîtresse* comme dans les films français pour parler d'eux à ses sœurs.

Dans l'ascenseur il lui dit avec son bel accent anglais :

« Ce soir, neuf heures ? »

Elle acquiesce d'un petit signe de tête.

Il lui glisse un billet dans la main.

L'adresse de l'hôtel.

Comme c'est excitant !

«La prochaine va être votre cinquantième!»

Elle s'empare de la boîte, enlève le couvercle, repousse le papier de soie.

«Y vont peut-être vous désappointer, j'en ai pas trouvé d'aussi drôles que le mois passé, mais je vous promets que la prochaine fois j'vas tout faire pour vous faire rire! Y faudrait que la cinquantième paire soit la pire, la plus drôle de toutes!

— Oui, pis on va fêter ça avec une bouteille de champagne!»

Depuis près de quatre ans Édouard apporte chaque mois une paire de souliers à Ti-Lou, la plus laide, la plus ridicule qu'il a pu trouver. La première année, pendant l'été et l'automne 1931, Ti-Lou se déplaçait elle-même. On la voyait descendre péniblement la rue Fabre, s'appuyant sur ses béquilles, ne regardant personne parce qu'elle ne voulait pas voir la pitié dans le regard des gens qu'elle croisait. Pendant les grandes chaleurs elle prenait son temps, s'arrêtait pour souffler ou replacer les manches de sa robe qui avaient tendance à remonter aux aisselles à cause de ses supports de bois. L'automne venu, lorsque les pluies froides d'octobre s'étaient déclenchées, elle arrivait souvent au magasin de souliers trempée jusqu'aux os et de mauvaise humeur. Aussitôt qu'elle s'était installée dans un des fauteuils, Édouard lui tendait la boîte de carton blanc qu'elle s'empressait d'ouvrir sur-le-champ.

Et ils riaient, même lorsque Ti-Lou était d'humeur massacrante, sous le regard incrédule de Teena dont le sens de l'humour n'était pas des plus aiguisés et qui ne comprenait pas ce que deux adultes pouvaient trouver d'amusant dans une paire de souliers, aussi affreuse soit-elle. Elle voulait bien aider Édouard à les trouver, de là à partager leur hilarité… Et affreuses, elles l'étaient. Triées avec soin – Édouard disait souvent que ce n'était pas le choix qui manquait mais qu'il visait toujours l'unique et l'exceptionnel – et rangées, parfois pendant de longues semaines, sur une tablette derrière la caisse.

Ti-Lou tournait les souliers dans tous les sens, passait des commentaires, toujours désobligeants, qui faisaient hurler de rire Édouard. Il en remettait, ajoutant aux observations de la cliente ses propres critiques livrées avec ce ton faussement hautain qu'il avait donné au personnage de grande dame qu'il était en train de se construire et qui le rendait si populaire auprès des *vieux garçons* du Paradise. C'était souvent des horreurs proférées par une voix de femme du monde – Gaby Morlay avec son timbre tout mouillé, ou Edwige Feuillère et son feulement de lionne en chaleur – qui se sait tout permis parce qu'elle est belle. Et puissante.

Mais vers la mi-novembre Ti-Lou avait téléphoné pour dire qu'elle couvait une grippe et qu'elle ne pouvait pas sortir de chez elle. Est-ce qu'Édouard ne pourrait pas, pour une fois, lui livrer la paire de souliers de ce mois-ci, s'il en avait trouvé une ? Elle lui donnerait l'argent, plus un petit bonus…

Et depuis ce temps, aux quatre semaines et sous le regard médusé de mademoiselle Desrosiers, toujours incrédule, Édouard, le dernier vendredi du mois après la fermeture, remonte la rue Fabre, dans la sloche ou la neige, jusqu'au boulevard Saint-Joseph, qu'il traverse. Et là, à sa gauche, dans un appartement sombre et délabré mais qui sent si bon, l'attend Ti-Lou. La nouvelle femme du monde et l'ancienne guidoune aiguisent leurs sarcasmes, et toute la rancœur qu'elles ont accumulée devant les coups durs que leur a réservés la vie va passer sur de ridicules bouts de cuir ou de soie que des concepteurs de souliers ont eu le front d'imaginer en pensant que des femmes, ces idiotes, accepteraient de les porter. Au-delà de la laideur des chaussures – en tout cas de ce que Ti-Lou et Édouard trouvent laid en elles –, c'est à l'amputation d'une jambe chez Ti-Lou et à l'ostracisme dû à une différence jugée immorale chez Édouard que leurs railleries s'adressent.

Ils se vident le cœur en riant et ça leur fait du bien.

Ti-Lou se penche, plie la jambe, enfile un soulier.

« Sais-tu ce que j'ai fait, y a deux ou trois jours ? »

Édouard a refermé discrètement la boîte pour que Ti-Lou ne voie pas le deuxième soulier.

« J'les ai essayées. Toutes. J'ai ouvert mon garde-robe, j'ai sorti toutes les boîtes à coups de béquilles, j'ai tiré une chaise…

— Vous m'avez pas attendu ! On aurait pu avoir du fun…

— C'est ce soir-là que j'avais besoin d'avoir du fun, Édouard. »

Il baisse les yeux vers le soulier – une sandale à talon haut rose corset et vert pomme du plus vilain effet – en se demandant s'il devrait oser aborder le sujet tabou entre eux depuis quelques mois. Parce que c'est sans doute là la raison pour laquelle elle avait eu besoin d'avoir du fun ce soir-là. Un besoin si pressant qu'elle n'avait pas eu la force de l'attendre.

« En avez-vous eu ?

— Du fun ? Pas vraiment. C'est vrai que j'aurais dû t'attendre… D'ailleurs les boîtes sont restées toutes éparpillées dans ma chambre, chus pas capable de les ramasser… »

Pour une fois ils ne rient pas. Ils se contentent de regarder la chaussure sans passer de commentaires.

« Vous avez toujours pas eu de ses nouvelles ? »

Elle se redresse. Elle lui a pourtant demandé, et plusieurs fois, de ne plus jamais parler de ça. Ils sont là pour s'amuser, pas pour se gratter le bobo !

« J'en attends pas.

— Ben oui, vous en attendez. »

Il est bien sûr question de Maurice. De son départ ou, plutôt, de ce que Ti-Lou a pompeusement appelé son congédiement. Parce que ce qu'elle avait craint depuis cinq ans avait commencé à se produire. Au cours de la dernière année elle avait senti des hésitations dans la voix de Maurice, des glissements furtifs dans ses déclarations d'amour, elle avait vu des fissures se creuser dans leur relation, elle avait entendu des craquements avant-coureurs qui lui avaient fendu le cœur. Une autre femme ? Une lassitude, bien compréhensible, elle devait l'admettre, devant une situation irrévocable qui faisait d'eux un couple prisonnier d'un appartement clos et sombre parce qu'un des partenaires était handicapé et refusait tout effort pour lutter contre la dépression et le dégoût de soi? Ou simplement, et c'était encore plus compréhensible, un essoufflement du désir physique – elle avait pourtant prévenu Maurice, avant même son amputation – pour une femme qui n'a qu'une jambe, même belle, intelligente, spirituelle et experte au lit? Il continuait à lui jurer qu'il l'aimait, elle le croyait, mais la désirait-il encore? Ça, elle n'a jamais osé le lui demander. Mais elle était incapable de vivre dans le doute et elle avait décidé, un soir où il avait été peu performant et plutôt silencieux, de provoquer la rupture, d'assumer l'odieux du geste définitif. Et elle l'avait mis à la porte. Quand elle y repensait – tête basse, il s'était rhabillé sans rien dire –, elle espérait que s'il n'avait pas protesté comme il le faisait toujours lorsqu'elle abordait le sujet de son handicap, c'était à cause du choc plutôt que du soulagement. Maurice n'était pas un goujat même si elle n'avait plus jamais eu de ses nouvelles, elle devait se le répéter souvent pour s'empêcher de le mépriser.

En bon ami Édouard prétend que Maurice va la rappeler, qu'ils vont se réconcilier – même s'ils ne se sont pas chicanés –, que tout va redevenir comme avant. Elle hausse les épaules en disant que de toute façon elle ne le reprendrait pas. Que cette retraite, la deuxième, est définitive. Une ancienne prostituée handicapée de soixante ans ne devrait plus se faire d'illusions et rester dans son coin en se faisant la plus discrète possible. N'empêche qu'il lui arrive encore de se cacher derrière le rideau du salon pour guetter Maurice, si beau, si droit sur son cheval. Lui ne regarde jamais dans sa direction quand il passe devant chez elle. Regret? Culpabilité? Ou parce qu'il se trouve trou de cul? Elle ne le saura jamais tout en se permettant, de temps en temps, de lui envoyer un baiser furtif.

« Édouard, combien de fois je t'ai dit que je voulais pas qu'on parle de ça ?

— C'est peut-être ça qui vous ferait du bien, plus que les maudits souliers !

— T'as vingt-deux ans, tu connais rien de la vie, tu viendras pas me faire la leçon dans ma propre maison ! »

Quand elle prend ce ton péremptoire il sait qu'il n'y a rien à faire, que la discussion est terminée, que la soirée achève, qu'il ne lui reste plus qu'à prendre congé en lui donnant rendez-vous pour le mois suivant.

Il lui retire la sandale du pied, la remet dans sa boîte, se relève.

« Voulez-vous que je vous aide à ramasser vos quarante-huit boîtes ? Y vont pas rester là indéfiniment… »

Elle tend les mains en direction de ses béquilles.

« Tu serais fin. »

L'appartement pue la friture de poisson.

Maria essaie de respirer la bouche ouverte, à petits coups, rien n'y fait, l'odeur s'insinue quand même en elle et lui donne la nausée. Elle a beau plonger le nez dans sa tasse de thé, ça ne change rien. Elle a donc abandonné le projet d'aller au cinéma après sa visite à Victoire, elle n'a pas envie d'empester la salle avec ses vêtements qui vont puer le poisson. Et se le faire dire. Fernandel attendra donc encore quelques jours. *Angèle*, pourtant, un film qu'elle attend depuis longtemps.

Victoire, humiliée de recevoir la belle-mère de son fils le lendemain d'une catastrophe culinaire, s'est excusée : elle parlait au téléphone avec sa fille Madeleine, nouvellement mère et qui a bien besoin de conseils, lorsque le malheur s'est produit. Le poisson, ça ne pardonne pas. Trente secondes de trop et on se retrouve devant une chair carbonisée immangeable et une boucane noire qui empeste pendant des jours. (Quoique Télesphore ait insisté pour goûter au plat raté, ait décrété que c'était délicieux et soit même allé gratter le fond du poêlon en fonte en poussant des petits grognements de satisfaction. Esprit de contradiction ? Sans doute, parce que Victoire l'a vu grimacer.

C'est lui qui avait acheté le poisson, pour une fois, et il n'était pas question qu'il n'en mange pas.)

Encore heureux qu'Édouard ait été absent. Il a quand même fait une crise en rentrant, tard, de mauvaise humeur et éméché. Il s'est un peu calmé quand il s'est rendu compte que la porte de sa chambre était fermée et que l'affreuse odeur ne s'y était pas infiltrée. Il a tout de même critiqué sa mère qui, selon lui, avait de plus en plus de ces manques d'attention qui provoquaient des incidents fâcheux. Elle a protesté, il en a rajouté, ils se sont engueulés, jusque dans la salle de bains pendant qu'Édouard faisait ses ablutions. Elle s'est rendu compte qu'il avait des marques mauves dans le cou, s'est rappelé de ce que c'était – Josaphat qui rit pendant qu'il se regarde dans le miroir en se faisant la barbe : *Victoire, viens voir ce que tu m'as faite !* –, a rougi avant de quitter la pièce, mettant fin à leur discussion.

Depuis qu'elle ne travaille plus au Paradise Maria a pris l'habitude, peut-être aux deux semaines, de rendre visite à Victoire. La plupart du temps en début d'après-midi avant d'aller au cinéma dans l'ouest de la rue Sainte-Catherine. Au Cinéma de Paris où on présente des primeurs françaises ou à l'une des nombreuses salles consacrées aux gros succès américains. Maurice Chevalier ou Errol Flynn. Ann Sothern ou Suzy Delair. Après s'être annoncée, elle arrive tôt, au moment où elle sait que Victoire se trouve seule à l'appartement de la ruelle des Fortifications parce qu'Édouard sera au travail et Télesphore à la taverne. Elles jasent autour d'une tasse de thé, parfois de tout et de rien, parfois, si le moment est propice, de choses plus sérieuses. Maria a vite senti chez

Victoire une douleur qui, sans ressembler à la sienne qui est faite de besoin de liberté – une douleur peut-être plus inavouable, peut-être même plus honteuse –, pourrait les rapprocher. Des liens solides se sont tissés entre elles au fil des confidences, d'abord timides puis de plus en plus franches et précises, surtout de la part de Maria. Elles sont toutes les deux la seule personne à qui l'autre pourrait se confier. Mais Victoire se retient. Maria, pour sa part, a fini par parler des raisons de son retour à Montréal, en 1913 : la disparition de son mari à Providence où elle s'était exilée, ses enfants qu'elle a dû envoyer chez ses parents en Saskatchewan, monsieur Rambert qu'elle n'a jamais vraiment aimé d'amour, qui le sait et qui l'accepte en restant auprès d'elle après toutes ces années, Théo, enfin, né de parents qui ne sont pas mariés et qui pourtant se voient presque tous les jours. Et le retour de ses enfants après tant d'années de séparation. Au lieu de se montrer choquée, une possibilité que Maria avait envisagée, Victoire s'est contentée de répondre qu'elle trouvait que c'était une belle histoire. Mais elle ne s'est pas confiée. Elle a failli le faire à plusieurs reprises, pourtant les mots restaient prisonniers dans sa gorge, son cœur battait trop vite et la honte, la maudite honte, finissait comme toujours par l'emporter. Maria aussi cache des choses : elle n'a jamais parlé d'Édouard à Victoire, de ce qu'elle savait de lui, de ce qu'elle l'avait vu faire au Paradise, de ce qu'elle l'avait entendu dire. De la duchesse de Langeais. Qui lui manquait. La seule vraie fantaisie de sa vie qu'elle avait laissée dans un bar de la rue Saint-Laurent, un verre de faux champagne à la main et une chanson gaillarde aux lèvres. Elles ne se confessent donc pas complètement pour ne pas choquer l'autre.

Aujourd'hui est un jour creux, sans confidences. Elles parlent de la pluie et du beau temps. De l'automne qui s'annonce doux. Des feuilles qui ne sont pas encore tombées des arbres.

Après que Victoire s'est excusée – la maudite odeur de poisson ! –, Maria a répondu que ce n'était pas grave tout en se cherchant déjà une excuse pour partir alors qu'elle venait à peine d'arriver. C'est d'ailleurs sans doute ça la raison de leur malaise. On ne verse pas dans la confidence quand on est plongé dans l'odeur du poisson calciné.

Un rendez-vous manqué qu'elles regrettent toutes les deux.

Elle a remis son chapeau mais plié son manteau sur son bras. Il fait trop chaud, même pour des vêtements mi-saison. Et comme elle a décidé de rentrer chez elle à pied, elle se voit mal longer la rue Dorchester en plein soleil dans un manteau, fût-il léger.

Victoire va la reconduire jusque dans la ruelle des Fortifications. Elles prennent de grandes bouffées d'air.

« Je sentais pus le poisson, mais ça fait du bien de sentir autre chose pareil… Une chance que c'est pas le jour des poubelles, par exemple, parce que ça aurait pas senti ben ben meilleur ! »

Elles s'embrassent sur les deux joues.

« Allez-vous voir votre film ? »

Maria regarde le ciel, les petits nuages blancs qui semblent immobiles – sa mère aurait dit que le bon Dieu promène ses moutons – tant le vent est faible, même là-haut.

« Non. J'vas rentrer chez nous à pied tranquillement. Mais savez-vous ce qu'on aurait dû faire ? Aller aux vues toutes les deux, comme ça, avec ce qu'on sent, on aurait été sûres de vider le théâtre, pis on l'aurait eu pour nous autres tu-seules!»

Elles rient.

C'est la première fois que Maria voit Victoire rire depuis des années.

«Vous êtes belle quand vous riez, savez-vous ça?

— Arrêtez ça, chus pus belle depuis longtemps!

— Vous avez dû être quequ'chose quand vous étiez jeune…

— C'est vrai que j'étais pas pire… Vous aussi vous avez dû être quequ'chose…

— J'me sus laissé dire que j'étais pas mal pantoute…

— Les hommes devaient vous tourner autour, là-bas, à Providence.

— Pis vous, à Duhamel, comment c'était?»

Victoire se fige et ne répond pas.

Elles se regardent droit dans les yeux. Qu'est-ce qui se passe? Est-ce qu'elles vont pleurer?

Elles voient des choses inavouables passer dans les yeux de l'autre, des tumultes, des frayeurs, des déceptions, un brassage de sentiments mêlés où le poids du malheur, malgré d'incessantes luttes, finit toujours par gagner. Deux femmes fortes qui ont toujours ignoré qu'elles l'étaient.

Victoire pose la main sur le bras de Maria.

«La prochaine fois on parlera.

— Oui, on parlera la prochaine fois.»

C'est un soir de pleine lune.

Josaphat a remonté la rue Amherst, il est passé devant ce qui jusqu'à tout récemment était la biscuiterie où avait travaillé la petite Béa – maintenant une quincaillerie –, il a grimpé la côte Sherbrooke en sacrant parce qu'il n'est plus jeune, que ses jambes sont raides et qu'il a le souffle court. Il a traversé la rue Sherbrooke et est entré dans le parc La Fontaine, grand trou noir, la nuit, creusé au milieu du Plateau-Mont-Royal.

C'est le premier vrai soir d'automne. Un petit vent du nord-ouest, le norouâ comme on disait à Duhamel, brasse les branches, et il suffirait peut-être d'une bonne bourrasque pour qu'il se mette à pleuvoir des feuilles. Et après une bonne pluie – une vraie, des trombes d'eau qui tombent du ciel – ça sentirait le sous-bois, il viendrait écouter le shh shh de ses bottes qui piétinent les tas de feuilles et le rire des écureuils dans leur dernière frénésie pour cacher les réserves qu'ils se font pour l'hiver.

Il a mis sa veste de laine qu'il a attachée jusqu'au cou pour protéger sa gorge désormais délicate (l'hiver précédent il a fait une bronchite qui l'a terrassé pendant des semaines et dont il est sorti épuisé).

Les trois tricoteuses et leur mère le suivent. Elles n'ont pas changé depuis un demi-siècle, elles sont vêtues de la même façon – robes pastel l'été, capines et manteaux d'un autre âge quand elles ont à sortir l'hiver –, elles n'ont pas plus de rides qu'au début du siècle, gardent la même agilité – elles ne marchent pas, elles trottinent – alors que lui se voit de plus en plus courbé, comme s'il ratatinait.

Avant de quitter son appartement il leur a confié qu'il avait envie de jouer de son violon dans un grand espace vide, cette fois, de regarder la lune se lever, toute rouge, pendant qu'il lui rendrait hommage. Ces dernières années, la nuit de la pleine lune venue il se contentait de jouer de son instrument, parfois sans même sortir de son appartement, et de zigonner n'importe quoi en pensant à autre chose, parce qu'il y était obligé. Parce qu'il avait promis de le faire cinquante ans plus tôt. À des femmes qui n'existaient pas mais qui, en fin de compte, avaient été la seule constante dans sa vie avec son amour pour Victoire. Était-ce la raison pour laquelle elles ne vieillissaient pas ? Parce qu'il les avait inventées et qu'il voulait qu'elles restent immuables, comme son amour pour sa sœur ?

Le miracle dont il était l'instrument – mais y croyait-il encore ? – était donc devenu une routine plutôt ennuyeuse qu'il exécutait distraitement.

En faisant sa vaisselle, après le souper, l'envie lui était venue d'affronter à nouveau la lune, de la regarder travailler, cette fois, d'encourager en quelque sorte ses efforts pour grimper dans le ciel, de plus en plus petite, précise, blanche, brillante. Comme quand il était jeune, à l'époque où il croyait dur comme fer que c'était à cause de lui si la lune pouvait se lever sans faire souffrir les chevaux qui, sans lui, sans son violon, seraient condamnés à l'extirper des entrailles de la Terre à l'aide de chaînes qui leur déchireraient les chairs. Comment a-t-il pu y croire ? Et pourquoi continue-t-il mois après mois, année après année, à célébrer cette cérémonie absurde ?

Au cas où ?

Comme les gens qui ont perdu la foi et qui continuent les rituels religieux, au cas où…

Il descend vers le lac artificiel qu'on a vidé après la fête du Travail, au début du mois. Les bancs peints en vert ont été retirés pour l'hiver, il reste donc accoudé au milieu du pont en faux bois (du ciment moulé) qui coupe le lac en deux, l'enjambant dans sa partie la plus large. Si on a voulu faire japonais, le résultat est plutôt raté.

Un vague pressentiment le rend nerveux, comme si quelque chose d'important se préparait. Il aurait dû finir la bouteille de Bols avant de quitter son appartement, ça l'aurait calmé. En ayant moins conscience de ce qui l'entoure, il aurait pu tout mettre ce qui va se passer (il n'est pas là pour rien, au parc La Fontaine, passé onze heures du soir, il doit y avoir une raison) sur le dos du délire.

« C'est-tu vous autres qui m'avez emmené ici ? »

Florence s'est appuyée contre la rambarde à côté de lui. Elle tient l'étui à violon serré contre elle. Est-ce que c'est lui qui le lui a confié ? Il ne s'en souvient pas. Il ne se souvient pas du moment où l'étui est passé de ses mains à lui à celles de Florence.

« Non, c'est toi qui as décidé de venir ici.

— Peut-être, mais vous avez une façon de me pousser à faire des affaires…

— On te pousse pas. On te suggère des choses, des fois, mais on t'a jamais poussé à faire quoi que ce soit.

— Me l'avez-vous suggéré? De venir ici, je veux dire?

— Non.»

Il s'allume une cigarette, lance la fumée dans l'air. Il fait plus froid tout à coup. Le vent a poussé les nuages, le ciel s'est dégagé. Comme si on avait vidé une scène de théâtre pour planter un nouveau décor. Au-dessus des arbres, vers l'est, en direction de l'hôpital Notre-Dame, une faible lueur est apparue.

«C'est bientôt le temps, Josaphat.»

Il jette sa cigarette au loin. Un feu follet trop lourd qui n'arrive pas à voler et qui s'écrase lamentablement.

«Oui, je sais. J'vas encore faire mon numéro de magie noire.

— C'est pas de la magie, Josaphat, ni noire ni autrement.»

Comme chaque soir de pleine lune un léger tremblement le secoue, il est remué, excité, il a envie de jouer, c'est un besoin impérieux, c'est plus fort que lui, une force hors de son contrôle lui fait sortir le violon de son étui, sa main s'empare de l'archet malgré lui…

Au grand étonnement de Josaphat, ce qui monte dans l'air du parc La Fontaine ce soir-là est joyeux et festif alors qu'il s'était attendu à lancer en direction de la partie orientale du ciel un cri de détresse, un appel au secours. C'est une gigue plutôt qu'une rhapsodie. Est-ce bien lui qui joue?

La famille d'écureuils albinos, qui n'a jamais entendu une chose pareille, se réveille dans le creux de son arbre. Les oiseaux sortent leur tête de sous leur aile.

Rose, Violette, Mauve et leur mère, Florence, doivent connaître l'air parce qu'elles l'accompagnent en chantonnant. Si elles étaient assises elles taperaient du pied. Josaphat aussi. Il se contente de secouer le haut de son corps, de suivre le rythme. Endiablé ? Oui, endiablé. C'est de la magie noire. La magie noire s'est emparée du parc La Fontaine et là-bas, à l'est de la ville, là où ça sent le houblon à cause de la brasserie Molson, au milieu des coups d'archet déments de Josaphat-le-Violon, le miracle se produit.

Au début tout se déroule comme d'habitude. La lune, moins rouge, moins sanglante qu'en août, se fraye un chemin entre les branches d'un érable que le vent semble maltraiter plus que les autres. On dirait qu'il secoue les bras pour appeler au secours. À mesure qu'elle monte dans le ciel et qu'elle blanchit, les étoiles disparaissent une à une autour de la lune parce que sa lumière est trop vive. Elle crée un trou noir sur son passage, il n'y a plus qu'elle qui existe. Quand elle aura grimpé plus haut des étoiles réapparaîtront pendant que d'autres seront occultées.

Josaphat a assisté à ce spectacle des centaines de fois et ne se laisse plus impressionner. C'est beau, oui, mais de la répétition naît l'ennui, c'est la raison pour laquelle il a peu à peu cessé de s'y intéresser. C'est du moins ce qu'il se dit depuis quelques années. C'est beau comme le mois passé et comme ce le sera le mois prochain. Quand il était jeune ce rituel l'enchantait, chaque fois, et jamais il n'aurait pu imaginer se retrouver un jour blasé devant tant de magnificence. Avec les ans cependant ce qui a longtemps été sa grande consolation s'est transformé en routine. Sans doute parce qu'il a cessé d'y croire. Du moins à son rôle dans tout ça. Dans toute cette splendeur. Un leurre qui se trompe lui-même et qui se retrouve dans un cercle vicieux qu'il ne veut pas rompre au cas où… Il lui reste au moins le plaisir de faire de la musique.

La lune, maintenant toute blanche, passe au-dessus de la bibliothèque municipale. Josaphat se prépare à terminer sa gigue avec quelques coups d'archet vigoureux avant de rentrer chez lui finir sa bouteille de gros gin. *Salut, on se reverra dans vingt-huit jours, si t'es pas là, cachée derrière les nuages, moi j'y serai parce que j'ai pas le choix. Parce que j'ai décidé que j'avais pas le choix.*

Mais Rose, Violette et Mauve se sont rapprochées de lui, Florence a posé sa main sur son épaule.

« Continue. »

Il se tourne vers elle pendant qu'il malmène son archet.

« C'est pas fini ?

— Ça se peut que ça soit pas fini. »

Il fait une entourloupette sur les cordes de son violon et la gigue continue.

Qu'est-ce qui va se passer ? La lune va exploser ? Elle va tomber sur la bibliothèque municipale, anéantir Montréal ?

Une lueur rouge colore l'endroit d'où la lune a surgi, plus bas, plus à l'est, derrière l'arbre qui continue à trembler. C'est chatoyant, ça remue en vagues irrégulières, c'est comme un rideau de soie qui se déploie et qui tournaille. Il n'y a pourtant pas d'aurores boréales dans cette partie du pays, Montréal est située trop au sud, les aurores boréales c'est pour le Grand Nord, l'Alaska, les banquises éternelles…

Puis, par-dessus la musique, mêlés à elle plutôt, enroulés dedans, des hennissements jaillissent, des hennissements joyeux, pas ceux des chevaux souffrants qu'il avait entendus quand il était enfant, de purs éclats de rire si tant est que les chevaux pouvaient rire. Et des piétinements de pattes. Enfin, comme une apothéose de feu d'artifice, ils surgissent en galopant, si nombreux et si rapides qu'ils remplissent le ciel en un rien de temps. Ils courent dans toutes les directions, se croisent, s'entremêlent en volutes de fumée. C'est un carrousel de rouges, de l'orangé teinté de jaune au grenat saturé de bleu. Ça tourne, c'est une roue qui tourne en cavalant dans le ciel pour accompagner sa musique. Le bruit de leur course risque d'enterrer la gigue, alors Josaphat redouble d'efforts, appuie sur son archet, promène encore plus rapidement ses doigts sur les cordes, il sautille presque sur place, il va giguer!

Des larmes lui sont montées aux yeux, son cœur va exploser et il crie à travers sa musique:

« Si chus fou, ça vaut la peine d'être fou! »

Florence porte la main à son cœur.

« C'est leur façon de te remercier, Josaphat. Pour les cinquante ans qui viennent de s'écouler. »

À midi tapant le sifflet se fait entendre.

Le bruit assourdissant de moteurs s'éteint, le long convoi de pots de confiture de fraises s'immobilise dans un claquement de contenants de verre qui s'entrechoquent. Théo ferme sa dernière caisse, la scelle avec du papier collant. Il a une petite demi-heure devant lui pour manger et fumer. Il va puncher sa carte de présence – il est déjà midi deux – et se dépêche d'aller chercher son lunch dans son petit casier de métal. On se bouscule autour de lui, on rit, il fait beau, on va pouvoir manger sur le trottoir en face de la manufacture Raymond, peut-être pour la dernière fois de l'année. En tout cas jusqu'à l'été des Indiens quelque part en octobre.

Les filles ont jeté leurs vestes sur leurs épaules, les gars ont enfilé leurs coupe-vent. Beau, mais frais.

Théo regarde autour de lui. Fleurette n'est pas encore sortie, ou alors elle a décidé de manger à l'intérieur avec les frileuses. Déçu, il ouvre sa boîte à lunch en métal. C'est vendredi, le jour du sandwich aux olives concassées et au cheddar (deux tranches de pain beurré, un gros morceau de cheddar fort, une couche d'olives farcies concassées, une feuille de laitue), un de ses favoris. Depuis le matin le pain a eu le temps de s'imbiber du jus vinaigré des olives, le sandwich est mou, mottonneux, c'est bon.

Il dévore le tout en moins de cinq minutes. Il avale sans presque mastiquer, chassant chaque bouchée avec une gorgée de Coke tiède. Une belle pomme rouge – c'est enfin le temps des pommes! – termine le repas en beauté. Ça éclate dans la bouche, c'est tellement sucré que ça pique la langue. Cette fois il prend le temps de mastiquer parce que sa mère, il y a longtemps, quand il était petit, leur avait dit, à lui et à ses sœurs, que les pommes étaient difficiles à digérer, qu'il fallait bien les mâcher sinon on risquait d'avoir mal au ventre.

Sa première cigarette depuis le matin le détend. Il a passé cinq heures d'affilée à remplir des boîtes de carton de pots de confiture, vingt-quatre par caisse, sans jamais s'arrêter pour souffler : ses compagnons de travail et lui devaient calculer leurs mouvements, cibler quelques secondes à l'avance les pots qu'ils allaient saisir d'un geste rapide, les placer dans un carton qu'ils auraient à sceller avant d'aller le poser sur le chariot qui l'emporterait ensuite au service de livraison. Vingt-quatre pots par caisse, vingt-quatre caisses par chariot... répété à l'infini.

Les semaines d'apprentissage ont été difficiles. Toujours refaire les mêmes gestes pendant des heures sans pauses pour souffler. Cinquante heures par semaine. Pour un salaire de misère. Mais il ne sait rien faire d'autre – sa mère l'avait prévenu : *Si tu sors de l'école tu-suite, tu vas rester manuel toute ta vie.* – et, de toute façon, il n'a pas d'ambition. C'est son grand défaut, il le sait, mais il se justifie à ses propres yeux en essayant de se convaincre que l'ambition c'est pour les rêveurs, que quelqu'un comme lui, né par hasard, sans avoir été désiré, n'a pas les moyens d'avoir de l'ambition. Il ne pense jamais à ce qu'il sera dans dix ans, l'avenir lui fait trop peur.

Mais il a fini par trouver une façon de passer à travers ses journées de travail sans trop souffrir. Il essaie, et réussit souvent, de ne penser à rien, au point qu'il a parfois l'impression de flotter à l'extérieur de son corps, que son corps agit pendant que sa tête, vide, dérive quelque part dans l'espace. Midi arrive, ou six heures du soir, et il a l'impression de se réveiller d'un sommeil lourd pendant lequel il a rêvé qu'il travaillait. Il est épuisé sans toutefois se rappeler avoir fourni des efforts. Au lieu de le rassurer, ça l'inquiète. Ça n'est certainement pas normal et il a peur qu'à la longue ça le mène à une certaine forme de maladie. Il ne va pourtant pas passer le reste de sa vie dans la lune pour oublier un travail qu'il déteste!

La porte des livraisons s'ouvre, Fleurette sort. Elle regarde autour d'elle. Elle semble chercher quelqu'un.

Fleurette est *équeuteuse* de fraises. Ses mains rouges, qu'elle cache dans ses poches ou sous une paire de gants quand elle n'est pas à la manufacture, en témoignent.

Après que les cultivateurs venus d'aussi loin que la frontière de l'Ontario ont livré leur marchandise, tôt chaque matin – la manufacture Raymond a la réputation de payer un juste prix les fruits qu'elle achète –, les fraises sont jetées sur un étroit charroi – une bande de tissu sans fin tournant sur elle-même – qui passe lentement devant une série de chaises sur lesquelles sont assises des femmes et des jeunes filles dont le travail consiste à prendre des poignées de fraises qu'elles équeutent le plus rapidement possible. C'est un travail dur, salissant, horriblement répétitif, mais les ouvrières ont le droit de jaser et c'est là, au milieu du tas de queues de fraises qui s'accumule sous chaque chaise, que naissent les rumeurs les plus folles. Qui a l'œil sur qui, qui a peut-être couché avec qui, pourquoi le contremaître a pris Untel en grippe…

Elles ont les mains rouges au bout de quelques minutes à peine et savent qu'elles n'arriveront pas à effacer complètement les traces de jus de fraises, même avec une pierre ponce. Elles sont donc condamnées à promener des mains d'étrangleuses qui déclenchent sans cesse – personne ne s'y habitue – des protestations autour d'elles, même de la part de leur entourage. À la manufacture on les appelle les *mains-rouges* et on fait semblant d'en avoir peur, les hommes proclament même en riant qu'ils ne veulent pas se faire équeuter par elles. On les appelle aussi les *castreuses* en riant, mais elles ne trouvent pas ça drôle, surtout les cadettes à qui les plus vieilles ont conseillé de faire leur deuil de leur belle peau blanche.

La surveillante, madame Auger, qui n'a pas touché à une fraise depuis des années, porte encore des stigmates de son ancien métier, ce qui désespère les jeunes ouvrières. Elles ont demandé la permission de porter des gants, les plus minces possible, en jurant que ça ne compromettrait en rien leur travail, mais elle leur a été refusée.

Fleurette se promène de long en large en fumant. C'est mal vu, une jeune fille ne doit jamais fumer en public – une jeune fille qui se respecte ne devrait d'ailleurs jamais fumer –, mais à la manufacture on ne s'en formalise pas. Si la cigarette détend les ouvrières pendant leur demi-heure de lunch, tant mieux, elles seront plus efficaces pendant le reste de la journée.

Théo regarde sa montre. Il ne reste que sept minutes, il doit se dépêcher, la machine repart à midi et demi tapant, les pots de confiture n'attendront pas.

Il écrase sa dernière cigarette sur le ciment du trottoir et se dirige vers la porte d'entrée. Au moment où il va l'ouvrir, une main se pose sur son avant-bras.

«J'ai remarqué que tu parles pas à grand-monde…»

C'est elle! Elle lui a adressé la parole!

Il ouvre la porte, s'efface pour la laisser entrer. Mais il ne trouve rien à dire. Rien. Sa tête est aussi vide que lorsqu'il rêve qu'il flotte au-dessus de lui-même pendant qu'il travaille.

«T'es gêné, hein?»

Il ne trouve encore rien à répondre. Un petit oui serait tellement simple pourtant! Un signe de tête encore plus.

«Moi aussi, chus gênée.»

Elle a mis ses mains dans ses poches. Elle ne veut pas qu'il les voie.

«J'suppose que ma gêne est moins grande que la tienne.»

Elle se tourne vers lui en se dirigeant vers son convoi de fraises qui lui non plus n'attendra pas.

«J'me sus dit qu'on pourrait peut-être unir nos gênes…»

Les enfants dorment.

Le calme est revenu dans la maison. En tout cas jusqu'à ce que Flip se réveille d'un cauchemar – ça lui arrive souvent – et ameute ses frères et sa sœur avec ses cris. Un bilou habite sous son lit, il ne veut pas en démordre, et ça le rend malade de peur. Il rêve presque chaque nuit qu'on le tire par les pieds pour l'entraîner sous le lit. Nana a beau lui expliquer que les bilous ne sont que des tas de poussière qui s'accumulent sous les meubles, qu'ils ne sont pas dangereux, qu'elle les chasse une fois par semaine à l'aide de son balai, surtout ceux qui s'amassent sous sa couchette parce qu'elle sait qu'il en a peur, il ne la croit pas. Elle doit laisser des lumières allumées un peu partout dans la maison au cas où Flip aurait à se lever pour aller faire pipi, et lorsqu'il hurle au milieu de la nuit elle le retrouve debout sur son matelas, les yeux fous et trempé de sueur.

Ce n'est qu'entre son père et elle qu'il dort bien. Il prétend qu'il se sent protégé de chaque côté à cause de leurs gros corps qu'aucun bilou n'oserait essayer d'enjamber. Elle se doute qu'il y a une forme de chantage quelque part dans l'attitude de son fils, mais elle ne sait pas par quel bout prendre le problème. Balayer sous son lit chaque soir ? Lui prouver que plus un seul bilou n'habite là ? Elle n'a pas assez de travail comme ça !

Nana pose le livre sur ses genoux. *Ruy Blas*. Elle ne savait pas que c'était une pièce de théâtre quand elle a choisi l'ouvrage à la bibliothèque municipale et elle a de la difficulté à en suivre l'action. Que des gens qui parlent avec peu d'explications sur ce qui se passe ou alors des explications qui ne sont pas toujours claires : côté cour, côté jardin, c'est quoi ça ? Au théâtre – elle s'y rend parfois, à l'Arcade, avec sa mère ou même sa belle-mère pour qui elle s'est prise d'affection et qu'elle essaie le plus souvent possible de sortir de son trou de la ruelle des Fortifications – elle n'a aucun problème, tout est clair, c'est vivant, on dirait que c'est vrai, que ça se passe réellement sous vos yeux, on joue à accepter sans se poser de questions que la madame Sans-Gêne de Germaine Giroux séduit le Napoléon de Jacques Auger, on a payé pour se faire croire que ce qui se passe sur la scène est véridique, et quand ça fonctionne, quand le spectacle est bon, c'est merveilleux, mais à la lecture d'une pièce… Ce n'est pas que sa concentration fléchisse, que ses idées se dispersent, elle aime trop lire pour laisser sa tête vagabonder, non, c'est la facture même du théâtre écrit qui la déconcerte : un nom suivi d'une réplique, de temps en temps une indication scénique, il entre, il sort, il lève son épée, il descend, il remonte (il descend quoi, il remonte où ?). Au théâtre on les voit faire, on est dans l'action, des êtres vivants traversent des aventures qui semblent réelles, dans un roman on les imagine, on voit les paysages que l'auteur nous décrit, on entre à l'intérieur des personnages parce que même leurs sentiments nous sont expliqués, mais elle a l'impression que la lecture de *Ruy Blas* ne lui apporte rien parce qu'elle n'arrive pas à sentir quoi que ce soit devant de simples répliques. Passer d'une réplique à l'autre sans… sans *viande* entre ce qui se dit la laisse froide. Dans un roman elle n'a pas besoin de plus que les mots, un monde complet jaillit d'eux ; au théâtre, oui. Elle veut voir les acteurs, entendre leurs voix, elle en a besoin.

Elle feuillette le petit fascicule qui sent le vieux papier et l'encre d'imprimerie. Si seulement elle avait déjà vu *Ruy Blas*, à l'Arcade ou ailleurs, elle pourrait essayer de retrouver ce qu'elle avait ressenti…

Un ronflement lui fait relever la tête. Gabriel s'est endormi en lisant sa *Presse*, comme chaque soir. Il commence toujours par les sports, qu'il lit avec grande attention, puis remonte vers la une de chaque section, de moins en moins concentré, de plus en plus distrait. Il passe sur les pages artistiques en dodelinant de la tête et s'endort carrément devant l'éditorial. Nana lui dit souvent qu'il s'endort devant les choses importantes, il lui répond que ce qui est important pour lui ne se trouve pas dans les premières pages de *La Presse*.

Elle soupire.

Maudits sports.

Elle se lève pour aller visiter les chambres des enfants (Flip partage la plus grande avec sa sœur, les deux autres ont hérité de ce qui est à peine plus grand qu'une armoire à balais et dont ils se plaignent sans cesse). Tout va bien. Ils dorment, même Flip qui, pour une fois, a réussi à vaincre ses craintes des bilous et tient son oreiller à bras-le-corps – il pense sans doute que c'est son père ou sa mère.

Elle devrait réveiller Gabriel, l'envoyer se coucher. Il a besoin de sa nuit de repos. Mais comme il n'a pas l'air dans une position inconfortable, elle lui donne encore une petite demi-heure et se rassoit dans son fauteuil, près de la fenêtre du salon. Il a dû bouger dans son sommeil parce qu'il ne ronfle plus.

Elle aussi devrait aller s'étendre dans son lit. Sa journée l'a éreintée. Frotter le linge sale de la famille sur sa planche à laver en bois est la tâche qu'elle déteste entre toutes. C'est non seulement la plus ardue, c'est aussi la plus dévalorisante. Elle voudrait ne pas savoir dans quel état se trouvent les sous-vêtements de son mari ou les mouchoirs de coton de ses enfants. Aussitôt qu'ils auront un tant soit peu d'argent de côté (mais quand?), elle va suggérer l'achat d'une machine à laver. Même pas électrique, juste mécanique, juste pour ne plus avoir à toucher aux vêtements sales. Ah, essorer tout ça à l'aide d'un tordeur, ne plus forcer en suant dans la vapeur qui s'échappe de l'évier! Elle est prête à se passer de robes ou de souliers neufs pour ne pas avoir à se pencher sur l'eau chaude, savonner, frotter, rincer ce que sa famille a sali durant la dernière semaine.

Surtout que tout est difficile depuis qu'elle a commencé à prendre du poids – Gabriel la trouve ragoûtante, pas elle –, elle a le souffle court, ses seins sont lourds, ses reins la font souffrir, ses pieds aussi. Elle agrandit ses robes de maison à l'aide de bandes prises à même des retailles qu'elle gardait pour faire des guenilles, elle coupe les élastiques de ses sous-vêtements, elle endure ses souliers désormais trop serrés.

Elle essaie d'oublier ses rêves d'enfant, tous les projets qu'elle avait élaborés et qui l'auraient amenée aux quatre coins du monde, frondeuse et conquérante, ou enfermée dans une petite chambre à décrire des aventures qui lui seraient défendues mais dont elle ferait des chefs-d'œuvre, mais depuis quelque temps ils remontent sans cesse à la surface de sa conscience, des bulles d'anxiété qui se fraient un chemin le long de sa colonne vertébrale pour éclater à la hauteur de son cœur avant de lui remplir la tête de ce qui ressemble à des regrets et contre lesquels elle se sent impuissante.

Elle a rêvé pendant des années – c'était beau – qu'elle était le plus grand écrivain de langue française du Canada, George Sand ou Colette, le génie littéraire issu du fin fond de la lointaine Saskatchewan, que des choses d'une insoutenable beauté sortaient d'elle pour aller ravir des milliers et des milliers de lecteurs (elle ne pensait pas en millions, elle n'en avait pas encore saisi la notion), qu'elle était bardée de prix littéraires et d'honneurs de toutes sortes... Alors que maintenant elle accepterait d'être un vulgaire écrivaillon sans talent mais qui *produit*!

Un ronflement de Gabriel la ramène brutalement à la réalité.

Elle se demande souvent si elle est malheureuse. Non. Elle adore ses enfants, son mari, ils sont sa nourriture, sa vie. Mais le reste... Le carcan de la vie de famille (elle n'ose pas invoquer le mot *cage* pour ne pas provoquer une crise d'inquiétude) lui pèse parce que tout dans son existence se passe ici, à l'intérieur de l'appartement, et que sa seule évasion, si elle excepte les quelques sorties qu'elle se paye au cours de l'année, est la même que lorsqu'elle était petite et que tout lui semblait possible : les livres. Elle ne lit pas les livres, elle saute dedans à pieds joints comme dans un lac et elle y évolue, légère et à nouveau svelte, en savourant la manne qu'elle y trouve.

Elle est revenue à son point de départ.

À trente-trois ans.

Elle regarde autour d'elle. Tout est placé, propre, pas de poussière nulle part, le plancher a été ciré et les appuie-têtes en dentelle lavés et repassés avec soin. C'est une maison bien tenue et presque belle. Ça sent encore la fricassée qu'elle a concoctée au souper avec des restes du rôti de bœuf du dimanche précédent. Que tout ça cache une grande frustration malgré les nombreuses satisfactions que lui offre la vie – Gabriel, les enfants, assez d'argent pour subvenir à leurs besoins –, personne d'autre qu'elle ne le sait et ne le saura jamais. Un mal-être caché sous pression et qui n'explosera pas.

Elle a lu *Le blé en herbe* quelques semaines plus tôt – un livre défendu que la préposée à la bibliothèque municipale lui a cédé en fronçant les sourcils – et elle a pleuré presque tout le long de sa lecture. Pas tellement à cause des deux héros, des adolescents qu'elle a trouvés bien sympathiques, mais de cette dame vieillissante, madame Dalleray, qui tombe amoureuse d'un jeune garçon de seize ans et qui voit son existence transformée à un âge où elle croyait sa vie sentimentale terminée. Chose impensable ici où la morale doit toujours prédominer et où toute fantaisie, tout désir de fantaisie doit être réprimé, surtout s'il concerne la sensualité. Pendant quelques heures, elle l'avoue, elle a rêvé d'être cette madame Dalleray, de connaître un autre corps, plus doux et qui sent autrement, que celui de Gabriel, et des ébats qu'elle ne soupçonne pas, décrits à mots couverts dans le livre de Colette, ce qui, d'ailleurs, les rendait d'autant plus excitants. Plaisir coupable qu'elle assume, qu'elle ne regrette pas et dont elle ne se confessera pas parce qu'il lui a fait oublier pendant un moment – et elle en avait tant besoin – son avenir bouché et ses rêves avortés. Elle n'est pas malheureuse, elle n'a pas un seul instant pensé qu'elle l'était. Pour une fois, cependant, elle s'est laissé transporter ailleurs, elle a découvert des aspects d'elle-même qu'elle ne connaissait pas ou qu'elle ne voulait pas accepter et qui l'ont fait se sentir vivante.

Et cette nature dont elle ignore tout, la générosité de ce jardin décrit tout au long du roman, les plantes, les arbres, les herbes odorantes, les odeurs lourdes de la campagne autour de Saint-Malo l'été, elle aurait voulu s'y jeter à corps perdu, cueillir des brassées de fleurs inconnues, être là, être ailleurs, vivre autre chose, autrement, à une autre époque. Un roman. Vivre dans un roman. C'est ce qu'elle avait fait dans un sens, tout en sachant que ça finirait dans deux cents, dans cent pages et qu'elle se retrouverait fatalement dans son salon à Montréal, mère de quatre enfants qu'elle aimait mais qu'elle avait pris un malin plaisir à oublier pendant quelques heures, et coupable de pensées inavouables.

Est-ce que ça fait d'elle une méchante femme, une mère indigne, sans-cœur et condamnable? Non. Elle n'a pas agi, elle a rêvé. Elle a commis un *péché d'intention*, mais qu'importe?

Elle regarde Gabriel qui a recommencé à ronfler. Est-ce qu'il lui arrive de se prendre pour un athlète entouré de femmes pendant qu'il lit ses nouvelles du sport?

Si oui, tant mieux après tout.

«Toute une pièce d'homme, j'ai rien que ça à vous dire !

— C'est-tu vrai qu'y est tout nu tout le long du film ?

— Presque…

— En tout cas, dans les annonces, y a pas l'air de porter grand-chose.

— Non, juste un… un… comment ça s'appelle, donc…

— Un peigne.

— … un pagne ! Y porte juste un pagne qui cache pas grand-chose, c'est vrai… Pis y a tout un corps ! J'avais jamais vu une affaire pareille ! Y a dû en travailler un coup pour se bâtir un body pareil ! Pis y virevolte d'une liane à l'autre, là, ç'a pas de bon sens de voir ça ! Mais c'est drôle, quand y saute d'une liane à l'autre, justement, la guénille r'vole, des fois, pis on voit qu'y porte un sous-vêtement…

— Une bonne chance, sinon on y verrait la brimbale !

— C'est ça qu'on veut voir, aussi ! »

Elles rient de bon cœur.

«Écoutez, y est dans la jungle, y a pas vu d'être humain depuis son enfance, y peut pas porter de sous-vêtement! Où c'est qu'y l'a trouvé? Y a-tu des Ogilvy en Afrique? Le vrai Tarzan, là, si y a jamais existé, y devait même pas savoir que les pagnes existaient pis y devait se promener tout nu…

— Y peuvent quand même pas montrer ça aux vues…

— C'est ben ça qui est plate!»

Teena est allée voir *Tarzan and his Mate* au cinéma Palace, le samedi précédent, et elle vient de raconter le film au complet à ses sœurs, en mimant tout ce qu'elle pouvait : Tarzan qui se bat contre un lion, qui sauve Maureen O'Sullivan – pas très habillée elle non plus – en plongeant dans une rivière, le singe Cheeta qui fait rire même les animaux de la jungle avec, c'est le cas de le dire, ses singeries. Elle a essayé d'imiter le cri du roi de la jungle en se frappant la poitrine de ses mains (*Aaaaïaaaïaaaa!*). Maria et Tittite, qui ne l'avaient jamais vue aussi hystérique, ont croulé de rire en lui disant d'arrêter ses grimaces. Mais elle leur a raconté l'histoire jusqu'au bout.

«J'vous dis que ça faisait longtemps que j'avais pas vu un homme en petite tenue… J'me rappelais même pus de quoi ça avait l'air! Mon histoire de sous-vêtement, là, c'est sûr que c'est pas vrai, mais je vous dis que je guettais!»

Tititte baisse les yeux. Elle n'a pas encore osé parler du docteur Woolf à ses sœurs. Et se demande si elle ne gardera pas sa liaison pour elle, en fin de compte. Elle est plutôt fière de son gros secret. En jouant aux cartes, tout à l'heure, elle se disait : *Je vis une aventure que personne connaît, j'ai un secret, un gros secret, qui est juste à moi, qui scandaliserait peut-être tout mon entourage si jamais ça se savait…* Moins Maria que Teena, bien sûr, Maria en a vu des choses choquantes pendant ses années au Paradise, mais savoir que sa propre sœur vit une chose choquante c'est différent que d'être témoin des incartades de parfaits inconnus…

Titite a toujours projeté l'image d'une femme pondérée, contrôlée, presque froide, et une fois de plus elle se demande ce que ses sœurs penseraient en l'imaginant en pleine partie de jambes en l'air avec son gynécologue. Une envie la prend de les provoquer, juste pour voir leur réaction, leur étonnement devant ce qu'elle a découvert si tard et qui a changé sa vie.

Teena se lève pour aller remplir la théière d'eau bouillante.

«La seule chose qui m'a désappointée, par exemple, c'est que Johnny Weissmuller est blond. J'ai jamais aimé les blonds, sont trop fades.»

Maria écrase sa cigarette dans le cendrier – la dixième de la soirée, au grand dam de Titite et de Teena –, s'en allume aussitôt une autre.

«Y est pas blond. Dans le journal y a l'air d'avoir les cheveux noirs.

— Sont peut-être pas blonds, mais sont pas noirs non plus. Tarzan, y est supposé d'avoir les cheveux ben noirs. Dans les bandes dessinées en couleur, y a des reflets bleus dans les cheveux tellement sont noirs! Lui, y est trop pâle.

— Sont peut-être pas noirs noirs noirs, mais j'ai pourtant pas l'impression qu'y est fade… Au contraire…

— C'est vrai, t'as raison, y est pas fade… Y est trop bâti pour être fade. Mais y est trop pâle pareil. J'aurais aimé ça qu'y soit plus foncé, je sais pas, avec du poil sur l'estomac, pis…

— Voyons, Teena, qu'est-ce qui te prend, j't'ai jamais entendue parler de même…

— Ben que c'est que tu veux, j'pensais d'avoir tout oublié ça, d'avoir réglé ça une fois pour toutes pis j'suppose que Johnny Weissmuller, avec son pagne trop court pis son sous-vêtement qui cachait le principal, a réveillé quequ'chose qui était endormi… pis qui était ben content de se réveiller.

— À ton âge. »

Tititte répond sans réfléchir, elle regrette sa réponse au fur et à mesure qu'elle la prononce, elle voit chaque mot sortir de sa bouche et se dit qu'elle ne devrait pas le terminer, qu'elle devrait le ravaler, que les autres vont deviner quelque chose, qu'elle est en train de se perdre :

« Comment ça, à son âge. Y a pas d'âge pour ces affaires-là, y me semble ! Teena a ben le droit de… de… de regarder un homme tout nu pis de le trouver beau… même si c'est défendu. Surtout si c'est défendu ! »

Un petit silence suit. Maria, les sourcils froncés, fume en dévisageant sa sœur pendant que Teena baisse le nez sur sa tasse de thé en retenant un fou rire. Maria finit par lancer un long filet de fumée vers le plafond.

« Coudonc, es-tu allée voir Tarzan toi aussi ? Y t'a-tu réveillé quequ'chose à toi aussi ? »

Tititte se redresse sur sa chaise, prend cet air de vierge offensée que ses sœurs détestent tant.

« Ben non. Mon Dieu ! J'voulais juste dire que…

— Tu voulais juste dire que t'haïrais pas ça toi non plus croiser Johnny Weissmuller dans un coin sombre pis aller vérifier si y porte encore son sous-vêtement en dessous de son pagne !

— Maria, franchement !

— C'est correct, Tititte, c'est correct, c'est pas grave. Après toute, moi aussi ! J'm'en cache pas, au fond. Malgré mon âge. Je sais pas pourquoi j'ai dit ça, d'ailleurs… T'as raison… y a pas d'âge. Y a pas d'âge

106

limite… En tout cas, c'est pas les vieux os de monsieur Rambert qui vont m'exciter le poil des jambes comme Johnny Weissmuller a excité Teena, certain! Savez-vous ce qu'on devrait faire? On devrait aller voir *Tarzan and his Mate* ensemble, toutes les trois, ça nous ferait du bien!»

Pendant que ses sœurs rient, Tititte se dit qu'elle n'est qu'une vulgaire hypocrite et qu'elle mérite sans doute d'être punie.

Pour une fois, elles se sont bien amusées.

Depuis un an leurs parties de cartes avaient perdu de leur folie. Les plaisanteries fusaient moins, les rires étaient la plupart du temps forcés, même les engueulades pour savoir qui avait gagné ou perdu, la soirée finie, manquaient de conviction. La force de l'habitude? Trop d'années de fréquentation forcée, une fois par semaine, chez l'une ou chez l'autre, les mêmes gâteaux, le café trop fort, le thé trop faible, les problèmes de chacune répétés à l'infini, les critiques, les récriminations affaiblies parce que trop ressassées. Toujours est-il qu'une funeste routine s'était installée dans les cuisines des sœurs Desrosiers et que ce qui se voulait une joyeuse réunion hebdomadaire pour cimenter les liens entre trois femmes qui avaient longtemps été séparées était peu à peu devenu une obligation sans réelle nécessité. Les cartes, qui n'avaient d'abord été qu'une excuse pour se visiter, s'étaient avec les années retrouvées au centre même de ces soirées, leur vraie raison d'être, alors qu'aucune d'entre elles, sans l'avouer aux autres, ne s'y intéressait vraiment.

Mais ce soir, peut-être grâce à Johnny Weissmuller, à son pagne et à son sous-vêtement incongru dans la jungle africaine, la folie était revenue – Teena qui mimait un film! – et elles avaient ri sans retenue en oubliant leurs problèmes et leurs inquiétudes.

Maria et Teena se sont même moquées pour la première fois depuis longtemps des petits travers de Tititte : son côté snobinette, ses allures de grande dame, ses gants portés trop tôt dans la saison, la voilette à son chapeau – *T'es pas obligée de te déguiser en veuve pour venir nous voir!* – et la façon qu'elle a de porter la main à son cœur quand un propos la choque. Elle, de son côté, est restée stoïque, se contentant de sourire à l'idée de ce que provoquerait son aveu si elle dévoilait à ses sœurs sa liaison avec le docteur Woolf et, surtout, ce qu'elle se permettait avec lui. Du coup, sa culpabilité s'est enfuie et elle ne considère plus du tout qu'elle devrait être punie.

C'est l'heure de partir. Elles ont ramassé l'argent qui traînait sur la toile cirée, Tittite a remis son chapeau sous les quolibets, Maria a écrasé sa dernière cigarette dans le cendrier qui déborde de mégots puants, Teena a commencé à rincer les assiettes et les tasses dans l'évier.

Elle ferme le robinet, s'essuie les mains en se tournant vers ses sœurs qui se préparent à appeler un taxi.

« Trouvez-vous que j'ai un accent anglais, vous autres? »

Maria, qui avait déjà la main sur le cadran du téléphone, replace le récepteur.

« Où c'est que t'es allée pêcher ça, toi?

— Un client, au magasin.

— Un accent anglais?

— Ben oui. Y était en train de payer quand y m'a sorti ça. Personne m'avait jamais dit ça pis j'ai resté l'air bête, j'ai rien trouvé à y répondre… »

Tititte prend le récepteur, le porte à ses oreilles, compose le numéro de la compagnie de taxis.

« Moi, des fois, y en a qui me disent que je parle drôlement, mais personne m'a jamais dit que j'avais un accent anglais ! J'ai toujours pensé que c'était parce que j'essayais de mieux parler que les autres… »

Maria et Teena empruntent le corridor qui mène à la porte d'entrée.

« J'ai demandé à Édouard. Y m'a dit que quand y a commencé à travailler avec moi y trouvait que j'avais un accent, que je parlais pas comme le monde de Montréal, mais qu'y avait jamais pensé que c'était un accent anglais… »

Maria soulève un coin du rideau de dentelle, se colle le nez contre la vitre de la porte.

« On vient de la Saskatchewan, Teena. C'est anglais, la Saskatchewan. Peut-être que ça a déteint sur nous autres… J'me rappelle que Nana a ben souffert de ce que les autres filles y disaient quand elle a commencé l'école, ici, parce que tout le monde se moquait de sa façon de parler. Mais c'est drôle, Béa pis Alice se sont jamais plaintes !

— C'est ben pour dire, hein, j'ai un accent pis je le savais pas.

— Tout le monde a un accent, Teena. Nous autres on a un accent, le monde de Montréal ont un gros accent, les Français de France ont un accent…

— Oui, mais eux autres c'est le bon.

— C'est le bon pour eux autres, comme le nôtre est le bon pour nous autres. »

Elle fronce les sourcils, replace le rideau.

« Teena, y a quelqu'un qui s'en vient. Pis c'est pas le chauffeur de taxi.

— Comment tu fais pour savoir que c'est pas le chauffeur de taxi ?

— Tu vas voir… »

On sonne.

Tititte, qui vient d'arriver, étire le bras pour ouvrir la porte.

«Y a pas pris de temps ! Y devait être au coin de la rue… »

Teena la repousse de la main et ouvre la porte.

Un jeune soldat se tient tout droit sur le balcon, le baluchon à l'épaule, un grand sourire aux lèvres.

«Bonsoir, moman ! Moman Rose m'a dit qu'a' vous avait écrit pis que vous saviez que j'allais venir… »

La salle d'attente est froide. Aucune maison de Montréal ne sera chauffée avant le 1er octobre et ce refuge pour jeunes filles ne fait pas exception. Les murs de pierre doivent garder une bienfaisante fraîcheur l'été. L'automne, toutefois, l'humidité a tôt fait de vous transpercer jusqu'aux os. Josaphat-le-Violon imagine les petites chambres, les minuscules fenêtres, peut-être à barreaux, les ablutions faites à la hâte au saut du lit impossible à réchauffer, les repas pris en silence, la nourriture fade. La sévérité des religieuses. La charité chrétienne dictée par le mépris plus que par l'empathie. On veut bien vous loger parce que vous n'avez nulle part ailleurs où aller et que vous êtes démunies, mais ne nous demandez pas de vous aimer.

Lorsque la sœur tourière est venue lui ouvrir la porte de l'établissement, il a tout de suite pensé à son arrivée à l'hôpital Saint-Jean-de-Dieu cinq ans plus tôt. *Asile! Asile!* Même odeur d'encaustique et de soupe aux choux (si ça sentait la soupe jusqu'à l'entrée, qu'est-ce que ce devait être dans le réfectoire!), même propreté maniaque, mêmes plantes grasses luisantes de santé mais déprimantes. Des photos de curés sur les murs, des statues de saintes vierges énamourées, un crucifix placé haut au sommet de l'escalier et planant comme une menace plutôt que comme une protection contre le mal.

Autant la tourière de l'hôpital Saint-Jean-de-Dieu avait été sympathique naguère, quand c'est lui qui avait eu besoin d'aide, autant celle-ci était sèche, rêche et bête. Lorsqu'il avait demandé à voir Laura, elle lui avait répondu que ce n'était pas l'heure de visites.

« Chus son père. Pis c'est important.

— Si on laissait entrer ici tous les hommes qui se prétendent être des pères, notre maison n'aurait pas la réputation qu'elle a !

— J'vous demande pas de monter à sa chambre, j'veux juste y parler.

— Personne monte jamais dans les chambres de toute façon. R'venez dans une demi-heure.

— Une demi-heure ! Vous allez m'empêcher de voir ma fille pour une petite demi-heure ! »

Il savait que son charme n'opérerait pas auprès de cette ogresse, qu'elle était sans doute immunisée contre les ratoureux de son espèce et que son étui à violon ne l'impressionnait nullement.

« J'peux-tu l'attendre pendant une demi-heure, d'abord ? Vous devez ben avoir quequ'chose qui ressemble à une salle d'attente ! À une salle de visites ! Quand des parents arrivent de la campagne trop de bonne heure vous les laissez quand même pas dans la rue en attendant que ce soit l'heure de visiter leur fille !

— D'habitude ils connaissent l'horaire…

— Ben moi je le connais pas ! Je savais même pas qu'y en avait un !

— Revenez à dix heures et il n'y aura pas de problème.

— Y fait froid !

— Il y a des restaurants.

— J'ai pas faim !

— Je suis désolée, je ne peux rien faire pour vous. »
Elle lui avait fermé la porte au nez.

Il avait menti quand il avait prétendu ne pas avoir faim et il est allé dévorer des œufs au bacon dans un *greasy spoon* de la rue Saint-Laurent, tout près, où on l'a accueilli, il y est connu, avec des cris de joie et des tapes dans le dos.

À dix heures pile il s'est retrouvé devant la porte, l'index collé au bouton de la sonnette. Il ne l'a pas retiré tant que la religieuse n'est pas venue lui ouvrir.

« Vous allez déranger tout le monde dans la maison !

— Dix heures et trois ! J'veux voir ma fille ! Pis si vous me sortez une autre excuse, j'vous passe sur le corps ! »

Il a eu le temps de fumer deux cigarettes lorsque la porte du parloir s'ouvre. Laura a mis son manteau, s'est noué un foulard autour du cou, elle s'attend donc à ce qu'ils sortent. Il fait comme si de rien n'était et enfile son manteau.

Les nuages sont bas, ils traversent le ciel à toute vitesse. Il va pleuvoir. Finis l'été qui s'éternise, les bouffées de chaleur énervantes, l'automne montre le bout de son nez en averses soudaines et en petits coups de vent hypocrites qui n'annoncent rien de bon. Les jours raccourcissent, le soleil disparaît déjà derrière le mont Royal avant qu'on ait fini de souper. Si la montagne n'était pas là, au beau milieu de l'île, l'est de Montréal aurait une grande demi-heure de lumière de plus chaque jour. Josaphat se demande parfois si les riches de l'ouest, ceux qui restent de l'autre côté du mont Royal, n'ont pas choisi cette partie de la ville justement pour cette raison, pour jouir d'une bonne demi-heure de clarté de plus que les pauvres…

Laura a enfoncé ses mains dans ses poches. Elle a oublié ses gants de laine ou, plutôt, elle a cru qu'elle n'en aurait pas besoin, que le froid serait moins vif.

« J'ai toujours été frileuse des mains. Enfin, je sais pas si ça se dit, mais en tout cas j'ai facilement froid aux mains.

— Tu voulais pas qu'on parle dans la maison d'accueil, hein ?

— Non. Les murs ont des oreilles. Y a toujours quequ' bonne sœur qui espionne derrière une porte ou ben qui écoute en faisant semblant de balayer ou de passer la moppe… Maudites senteuses.

— Dis-toi que tu resteras pas là longtemps.

— Non, c'est vrai. J'm'en vas m'installer au presbytère la semaine prochaine… Mais y a des sœurs là aussi. Être femme engagère dans un presbytère, c'est peut-être pas la chose la plus agréable du monde… Pis chus pas mal convaincue que les religieuses sont les mêmes partout.

— T'en profiteras pour regarder si y a pas d'autres jobs ailleurs…

— Y doit pas y avoir grand-chose pour les filles de la campagne. Des maisons privées, peut-être. On entend tellement d'histoires là-dessus… Ça doit pas être pour ça que vous êtes venu me voir, popa…

— Non, t'as raison… »

Ils font quelques pas en silence.

Tiens, une goutte de pluie.

Josaphat rentre la tête dans les épaules, cache son étui à violon sous son manteau.

« Si y se met à pleuvoir, va falloir rentrer quequ'part… »

Laura regarde son père et secoue la tête en souriant.

«Pourquoi tu me regardes comme ça?

— Vous avez changé…

— J'venais te visiter, j'me sus lavé, j'ai mis du linge propre, ça fait toujours c't'effet-là quand chus propre.

— Non, y a d'autre chose… On dirait que vous avez rajeuni. Y s'est-tu passé quelque chose depuis qu'on s'est vus?

— J'bois moins…

— C'est vrai que ça aide. Mais…

— J'ai réfléchi. J'ai ben réfléchi. Surtout à ce que tu m'as demandé.

— Ah oui? Pis?

— T'as raison. Ta mère a peut-être besoin d'aide… Je l'ai négligée depuis trop longtemps. La vie l'a négligée depuis trop longtemps, tant qu'à ça… Si t'as le temps, cette semaine, on peut essayer d'aller voir où c'est qu'est rendue… Si est encore quequ'part.

— Parlez pas de malheur.

— J'irais ben tu-seul, c't'un milieu que je connais par cœur… Mais c'est toi qui veux la trouver, hein…

— Y a le couvre-feu à neuf heures… Qu'est-ce que j'vas faire?

— Tu t'en vas dans quequ'jours. Y peuvent quand même pas te jeter à la porte juste avant que tu partes… Pis si les sœurs font ça t'as juste à arriver au presbytère un peu plus tôt en disant que tu t'es trompée de date… On trouvera ben quequ'chose…Y a-tu moyen que tu sortes, disons vers onze heures, sans que personne te voye?

— Si tard que ça?

— Ce monde-là vivent pas aux mêmes heures que nous autres, Laura.

— J'suppose que c'est faisable. C'est quand même pas une prison. Mais vous êtes sûr que vous voulez faire ça ?

— Oui.

— Allez pas penser que vous me trompez, hein. Y a autre chose… Y vous est arrivé quequ'chose, chus sûre… »

La pluie rebondit sur le trottoir poussiéreux, l'averse arrive. Ils sont tout près du *greasy spoon* où Josaphat s'est réfugié un peu plus tôt.

« Viens, on va aller prendre un café.

— Pis vous allez tout me dire ?

— Certainement pas.

— Une femme ? »

Josaphat lui ouvre la porte, lui fait signe d'entrer.

« Non, quatre ! »

Les maris de ses filles n'ont pas pu venir. Alex a téléphoné la veille pour dire à Madeleine qu'il passerait le dimanche à Drummondville, et Paul, qu'Albertine appelle son insignifiant, est alité avec une forte grippe (un peu prématurée pour la saison, non ? ça sent l'excuse à plein nez). De toute façon son silence et sa discrétion sont toujours un poids sur les visites d'Albertine à sa mère.

Alex voyage toute l'année à travers la province de Québec. Il est représentant, Madeleine n'a jamais su en quoi au juste parce qu'elle n'a jamais posé la question, et il peut s'absenter pendant des semaines (c'est loin l'Abitibi, c'est loin la Gaspésie). Il téléphone de temps en temps d'une chambre d'hôtel, pas pour dire qu'il s'ennuie d'elle et de leur petite fille Mariette, pour se rapporter, dire quand il rentrera ou qu'il prolonge son séjour. Le prétexte est toujours le même : les affaires sont bonnes, les commandes s'accumulent, les clients, dont il s'est souvent fait des amis, semble-t-il, refusent de le voir partir. Il arrivera au milieu de la semaine, froissé, épuisé, toujours de bonne humeur. Et les bras pleins de cadeaux. Deux semaines plus tôt il a rapporté à sa belle-mère des légumes et des fruits frais, cadeau d'un cultivateur des Cantons de l'Est, qu'il a posés sur la table de la cuisine – elle en débordait, des pommes ont même roulé par terre – en disant qu'il aimerait que Victoire fasse son fameux ketchup aux fruits parce que celui de sa femme n'est pas fameux. Sa belle-mère, qui se méfie toujours de lui, c'est plus fort qu'elle, elle ne peut pas le voir sans avoir envie de le frapper, s'est d'abord fait tirer l'oreille puis, sur l'insistance de tout le monde – Madeleine, Albertine, Édouard, les enfants, Thérèse et Mariette, même si elles ne savaient de quoi il était question –, elle a fini par céder. Et la ruelle des Fortifications a pu respirer le fumet des légumes et les fruits vinaigrés et sucrés pendant des jours. (La légende veut que lorsque les femmes de Chénéville, de Saint-André-Avelin et de Duhamel faisaient leur ketchup aux fruits, en sep-tembre, toute la Gatineau sentait bon.) Mais Victoire n'est pas dupe : ces cadeaux cachent quelque chose, elle en mettrait sa main au feu.

Quant à Paul, chauffeur de tramway et grand fumeur – c'est tout ce qu'on peut dire de lui : il fume sans arrêt des rouleuses et n'a d'autre sujet de conver-sation que le circuit qu'on vient de lui confier, le tram-way numéro 10 de la rue Rachel, le plus ennuyant de la Montreal Tramways –, Victoire ne sait pas quoi penser de lui. Un bon garçon ? Un imbécile ? Un bon garçon imbécile ? Albertine avait menacé d'épouser le premier venu et c'est ce qu'elle a fait. Elle s'est jetée sur lui comme avec Alex, cinq ans plus tôt, excepté que lui a aimé ça. Il la laisse décider de tout et se contente de fumer ses cigarettes quand elle fait ses crises qui ne semblent aucunement le troubler.

Albertine et Madeleine sont donc venues manger chez leur mère avec Thérèse et Mariette, toutes les deux âgées de trois ans.

Autant Mariette est une fillette placide, rêveuse et silencieuse, autant sa cousine est un tourbillon de paroles, de courses folles – où qu'elle se trouve, dans la maison, au parc, dans la rue, même dans le tramway –, de colères inattendues, aussi, et souvent déplacées, la plupart du temps sans raisons apparentes. Mariette suit sa mère comme un petit chien, Thérèse donne l'impression d'éviter la sienne. Ou alors de lui tourner autour pour la contredire et refuser, butée, les bras croisées, la lippe pesante, tout ce qu'Albertine lui demande ou lui dit de faire. Madeleine vante sans arrêt les mérites de Mariette, la porte à bout de bras pour qu'on l'admire – *C'est pas beau c't'enfant-là, hein, c'est pas beau ?*; Albertine, sans cacher Thérèse, de toute façon elle ne pourrait pas, Thérèse est tout sauf discrète, semble sans cesse lui trouver des excuses en expliquant à qui veut l'entendre que son enfant, allez savoir pourquoi, est plus agitée que la normale, au point qu'elle se demande souvent si elle n'a pas le ver solitaire. (Elle a consulté le docteur Sansregret : pas de ver solitaire, juste le diable au corps.)

Les deux cousines ne s'apprécient pas particulièrement. Si elles jouent ensemble, Thérèse veut bien sûr tout mener, avoir le beau rôle, Mariette se retrouve dans le rôle du souffre-douleur, ça finit mal, Thérèse est punie, Mariette cajolée.

Victoire catine volontiers Mariette, poupée molle qui se laisse faire, facile à embrasser et la plupart du temps souriante, mais elle est mal à l'aise devant Thérèse dont elle trouve les yeux bizarres et les comportements incompréhensibles. Et parce qu'elle lui rappelle Albertine jeune, incontrôlable elle aussi et avec qui elle s'est tant engueulée. Sans en avoir peur, elle l'évite parce qu'on ne sait jamais comment Thérèse va réagir à ce qu'on lui dit ou aux caresses qu'on tente de lui faire.

Sa mère en peinture? Non, pire.

Le repas est terminé, les trois femmes font la vaisselle en silence.

Il n'y a pas si longtemps la famille se réunissait le dimanche soir, toujours autour d'un roastbeef – Victoire se vantait de faire le meilleur roastbeef à l'est des Rocheuses –, les repas étaient animés, presque joyeux, mais depuis qu'elle a quatre enfants Nana se déplace moins et Édouard a tendance à disparaître de plus en plus souvent et de plus en plus longtemps. Alors Victoire, Albertine et Madeleine ont décidé d'avancer les repas du dimanche à l'heure du lunch, c'est plus commode. Et elles se retrouvent presque toujours seules avec les deux enfants parce que le dimanche midi Télesphore et Édouard cuvent leur vin.

Les deux fillettes sont restées à table. Mariette dessine avec des crayons de cire pendant que sa cousine la regarde faire d'un œil distrait. De temps en temps Albertine dit à Mariette que ses dessins sont laids, sans grande conviction, on dirait par acquit de conscience, juste parce que c'est ce qu'on attend d'elle. Mariette ne s'en préoccupe pas et continue à dessiner des bonshommes aux membres en forme de bâtons se tenant par la main devant des maisons aux petites fenêtres sous un ciel bleu où trônent un unique nuage et un tout petit soleil.

Victoire est en train de s'essuyer les mains lorsque la porte de leur chambre à coucher, à elle et à Télesphore, s'ouvre.

«Bon. J'espère qu'y a pas faim. J'ai pas envie de tout recommencer ça, on vient de finir!»

Pour Édouard, qu'elle a toujours adoré même si elle s'engueule sans cesse avec lui quasiment depuis sa naissance, elle se forcerait à sourire, elle s'empresserait de remettre la cafetière sur le feu, de sortir de la vaisselle propre, de mettre du pain à griller sur le poêle à charbon, de rapporter sur la table beurre, pots de confiture et crème douce sans poser de questions parce qu'elle saurait que les réponses seraient des mensonges, pas pour son mari.

Elle va le faire, oui, c'est son rôle, son lot, mais sans diligence, en grognant, en bardassant dans la cuisine et en répétant pour la millième fois qu'elle n'est pas une esclave au service de tout le monde, encore moins des soûlons qui ne sont pas capables de se lever à des heures décentes. Il arrondirait alors les épaules sans rien dire en attendant son café et ses toasts.

Un épouvantail se présente dans l'encadrement de la porte. Décharné dans sa combinaison d'hiver d'une seule pièce qui lui donne l'air d'un bébé de six pieds, le teint pâle, échevelé, une barbe de plusieurs jours lui barbouillant le visage, les yeux injectés de sang et les mains affligées d'un léger tremblement, il ressemble à un personnage sorti d'une histoire d'horreur – le Bonhomme Sept Heures, l'abominable homme des neiges – et les deux enfants se mettent aussitôt à hurler.

Madeleine dit à sa fille de ne pas avoir peur de son grand-père, Albertine éclate d'un rire méchant et suggère à la sienne d'aller l'embrasser si elle en a le courage. Madeleine console Mariette en la prenant dans ses bras, Albertine s'assoit à côté de Thérèse et croise les siens.

Télesphore se frotte les yeux, se racle la gorge, bâille.

« Je le sais que je fais peur, mais j'ai passé une mauvaise nuit. Excusez-moé. »

Victoire verse un reste de café dans le fond d'une tasse.

« T'as passé une mauvaise fin de nuit, nuance ! À l'heure que t'es arrivé...

— J'ai rencontré des chums à la taverne Liverpool, on est allés finir à l'Auberge du Canada, pis...

— J't'ai pas demandé d'explications. Ça m'intéresse pas. Mais tu pourrais avoir la décence de pas faire peur à tes petites-filles...

— J'me rappelais pus que c'était dimanche...

— Sais-tu au moins en quelle année on est ? »

Il s'est approché de la table, ses deux filles en profitent pour se retirer en traînant leurs enfants avec elles.

« Ces enfants-là pensent que tu vas leur sauter dessus pour les dévorer !

— Ouan, mais plus à cause de ce que tu leur dis à mon sujet qu'à cause de ce que j'ai l'air.

— Penses-tu que je perds mon temps à parler de toé quand t'es pas là ? Surtout à nos petits-enfants ? Quand t'es pas là, Télesphore, chus ben contente pis je m'arrange pour penser à d'autre chose...

— Ben plains-toé pas quand je rentre tard.

— J'me plains pas que tu rentres tard, j'me plains que tu te réveilles le lendemain ! »

La chose se produit avec une telle rapidité que Victoire n'a pas le temps de réfléchir à ce qu'elle fait. Elle voit la tête de son mari rebondir avant de comprendre qu'elle vient de lui donner une claque chinoise (*si tu restes pas tranquille, moman va te donner une claque chinoise en arrière de la tête pis tu vas rester empesé pour le reste de la journée*) dans ses cheveux gras et raides.

Est-ce cette taloche inattendue qui déclenche le cataclysme qui suit ? Des vannes fermées depuis des années s'ouvrent, un barrage qui retient les récriminations et les plaintes cède d'un seul coup dans un craquement inimaginable, un flot de mots submerge la cuisine, ça fuse, ça tourbillonne, ça déferle. Victoire s'entend parler sans pouvoir se retenir, elle a l'impression de flotter dans la pièce, de léviter, le poids qui pèse depuis si longtemps sur sa poitrine se soulève enfin, son cœur se desserre, elle parle, elle parle enfin! Elle est claire, pertinente, comme si elle s'était préparée avec soin. Mais elle n'a pas eu besoin de se préparer avec soin, tout était prêt à sortir depuis longtemps, il ne manquait qu'une étincelle.

«Chus tannée! M'entends-tu? Chus tannée! J'en ai assez! De toute! Pas juste de toé! De moé, aussi! Du maudit appartement! De la maudite job de concierge! T'es juste un paresseux, Télesphore! T'es pas un poète, t'es pas un rêveur, t'es un sans-cœur! T'as toujours été trop lâche pour te grouiller le cul pis t'as toujours attendu après moé pour faire ta job! Pis moé, la folle, j'me sus laissé faire! Chus tannée de sortir les vidanges, de laver les planchers, d'aller remplacer des lumières brûlées sur les étages, d'essayer d'expliquer aux locataires pourquoi c'est moé qui fais tout ça pis pas toé! Chus tannée de te protéger, de t'excuser, de t'inventer des maladies! Chus fatiquée, Télesphore! Chus fatiquée! J'en peux pus! J'vas avoir soixante ans, j'vas ben vite être une vieille femme de soixante ans qui sort des vidanges pendant que son mari va boire à l'Auberge du Canada parce qu'y est trop paresseux pour lever le petit doigt! T'as les mains propres, pis blanches, pis douces, pis moé j'ai les mains d'un homme qui a trimé toute sa vie! Ça fait vingt-cinq ans que j'endure ça! Vingt-cinq ans! À vivre dans un soubassement pis à élever des enfants que tu vois même pas parce que t'es trop égoïste! T'as pas vu tes enfants grandir parce que tu les regardais pas! Pourquoi t'es venu me chercher à Duhamel, si c'était pour me faire ça? Parce que j'étais naïve? Parce que j'étais pas capable de me défendre? Parce que tu savais que tu me tenais par la gorge à cause de ma situation? T'avais besoin d'une servante pis t'es allé t'en chercher une dans le fin fond de la Gatineau? C'est ça? T'avais juste besoin de te faire servir? Ben j'ai fini de te servir! C'est les vidanges, à soir? Ben c'est toé qui vas les sortir! Pendant que j'vas écouter la radio! Pis tu te coucheras pas tant que le plancher de l'entrée de l'édifice sera pas brillant comme un miroir! Pis t'iras pas à l'Auberge du Canada finir la bouteille que t'as pas finie hier soir parce que t'étais pus capable de boire, tu vas être trop fatiqué! Probablement pour la première fois de ta vie! La fatigue, Télesphore, tu vas enfin connaître la fatigue! Pis je t'avertis, si tu me sors encore un seul, tu m'entends, un seul poème de Victor Hugo ou de Lamartine qui m'empêche de dormir, j'te le refoule dans la gorge avec mon poing pis j'attends que t'arrêtes de respirer!»

Albertine et Madeleine, sidérées, sont debout dans l'encadrement de la porte. On peut entendre les deux enfants qui pleurent dans le salon parce qu'elles n'ont jamais entendu leur grand-mère – d'humeur toujours égale, d'habitude, stoïque, presque impassible – hurler de cette façon-là.

Télesphore n'a pas redressé la tête. Il reste penché sur son repas, on ne sait pas s'il a écouté ou s'il s'est endormi au beau milieu des invectives de sa femme. Il en serait bien capable.

Victoire a envie de le frapper une seconde fois mais se retient. Les mots qu'elle vient de prononcer, du moins elle l'espère, devraient suffire, lui faire comprendre ce qu'il lui fait vivre depuis vingt-cinq ans. Sinon…

Une porte claque quelque part dans la maison.

Édouard, aussi ébouriffé que son père, déboule dans la cuisine en poussant ses sœurs du coude.

«Qu'est-ce qui se passe? J'pensais que je faisais un mauvais rêve, pis j'me sus rendu compte que j'étais réveillé…»

Sa mère lui lance un regard d'une telle animosité qu'il recule de quelques pas.

«Toé, mêle-toé pas de ça! Parce que j'aurais quequ' p'tites affaires à te dire, à toé aussi! Fais-moé pas parler, j'ai assez parlé pour aujourd'hui! Le pain est sur la pantry, le poêle est chaud, le café est frais faite, tu peux te faire à manger. Moé j'ai décidé de prendre une journée de congé pis j'vas aller me promener avec mes petits-enfants!»

Sa vie a changé pendant quelques jours.

La présence de ce jeune homme dans sa maison (son fils longtemps négligé), sa vivacité, sa bonne humeur, sa curiosité de tout ce qui est nouveau – la grande ville, le bruit, les odeurs qui n'ont rien à voir avec la nature, le nombre incalculable de belles femmes – a non seulement brassé son quotidien, elle qui a toujours vécu seule, mais a en plus donné un sens à ce qu'elle fait, un but à ces journées sans fin à vendre des souliers dans une boutique qui a fini par l'exaspérer : elle est excitée, chaque après-midi, lorsque l'heure de fermeture approche, parce que quelqu'un l'attend, quelqu'un qui a besoin d'elle, ne serait-ce que pour une courte période, et qui lui sourit quand elle arrive, essoufflée, les bras chargés des victuailles qu'elle va apprêter pour le souper. Elle sait qu'il va bientôt retourner à Valcartier, qu'il est en permission avant d'être *shippé*, comme il le dit lui-même, quelque part au nord de l'Ontario, et elle essaie de profiter de chaque moment qu'elle passe en sa compagnie.

Après tout, n'a-t-il pas préféré venir passer sa permission avec elle plutôt que d'aller vivre sa vie de garçon comme le font les soldats ?

Il ne lui a rien reproché, il lui a même fait comprendre qu'il avait accepté depuis longtemps la raison pour laquelle elle n'avait pas pu le garder. Une fille-mère, même aujourd'hui, même en 1935, était une brebis galeuse que personne ne voulait approcher. Il lui a même dit que l'expression *une femme tombée* l'écœurait, que moman Rose lui avait expliqué que les femmes tombées étaient souvent les victimes des hommes qui se déchargeaient de leur culpabilité en les condamnant. De toute façon il n'a pas du tout été malheureux avec Rose et Simon, au contraire, ils l'ont aimé comme leur propre fils, il a vécu dans la nature, il a appris à chasser, à pêcher, et la seule raison qui lui a fait quitter Duhamel était que son avenir était bouché, pas de jobs, sauf dans les chantiers, l'hiver, qu'il n'avait aucun talent de cultivateur et qu'il avait la bougeotte, celle des Desrosiers selon Rose. Il est réserviste, on va faire de lui un homme, il va apprendre un métier et il a promis-juré à sa mère qu'il reviendrait un jour à Montréal.

Pour la gâter.

C'était à la fin d'un repas, ils avaient mangé de la saucisse de porc et du boudin noir qu'Ernest adorait et elle se serait jetée sur lui pour l'embrasser si sa pudeur naturelle ne l'avait pas retenue. La gâter! Elle ne se gâtait même pas elle-même!

Ils se sont promenés dans le quartier chaque soir. Ils sillonnaient la rue Mont-Royal, de Fullum à Saint-Denis, côté sud à l'aller, côté nord au retour. Ernest voulait tout voir, tout comprendre, il marchait vite, les mains dans les poches et le nez dans le vent. Teena était obligée de lui rappeler qu'ils se promenaient, qu'ils n'étaient pas pressés, que leur plaisir finirait plus tôt s'ils se hâtaient. Sa fascination pour les tramways avait ravi sa mère, sa passion pour les autos – *j'vas avoir un char, un jour, pis un gros!* – l'avait amusée. Un vrai gars. Il suivait les femmes des yeux, il souriait aux plus belles, Teena se permettait alors quelques remarques sur la prudence s'il ne voulait pas, lui aussi, faire des victimes comme elle. Il lui répondait que ce n'était pas péché que de regarder, elle lui répliquait en riant que trop regarder menait parfois à autre chose.

Si on lui demandait si elle est heureuse, elle soupirerait. Sans doute parce que le mot, précis et pesant, lui fait peur.

Ils sont assis au salon.

C'est le temps de partir. Un autobus – des permissionnaires criards et ébouriffés après une semaine de libations de toutes sortes – doit prendre Ernest et le ramener à Valcartier. Pour la première fois depuis une semaine Teena se permet de toucher son fils. (Après les embrassades, plutôt timides, de son arrivée, ils n'ont pas osé exprimer leurs sentiments en gestes concrets. Ils ont beaucoup parlé, ils se sont ouvert le cœur, une certaine timidité – une décence mal placée? – les a toutefois tenus sur leur quant-à-soi, passionnés dans leurs paroles mais avares de contacts physiques dont ils auraient pourtant eu grand besoin.)

Ils sont assis sur le canapé du salon. Elle a allongé la main, l'a posée sur le bras d'Ernest. Ils parlent tout bas parce que leurs retrouvailles tirent à leur fin et qu'ils ont, en tout cas Teena, envie de pleurer.

« T'avais pas besoin de t'enrôler, tu sais…

— Qu'est-ce que vous voulez dire?

— Quand t'as voulu t'en aller de Duhamel. T'étais pas obligé de devenir soldat. T'aurais pu t'en venir ici…

— J'avais pas de job…

— T'aurais peut-être pu t'en trouver une.

— J'sais rien faire! J'vous l'ai dit, dans l'armée y vont me montrer un métier. C'est la meilleure place pour les gars comme moé. Sinon, qu'est-ce qu'on deviendrait? Quand j'vas sortir de là, dans trois ans, j'vas avoir un métier, moman. J'sais pas encore quoi, mais de quoi gagner ma vie. Vous m'aurez pas sur le dos, j'vas être capable de me débrouiller tu-seul, de me marier, d'avoir une famille…

— Avec une belle Montréalaise?

— You bet! Pis quand j'vas avoir des vacances j'vas retourner à Duhamel. J'vas vous emmener dans mon gros char…»

Il rit.

«C'est mieux de rêver que de se laisser décourager, hein?

— T'es découragé?

— On peut pas dire que les gars de la campagne sont bien traités dans l'armée… J'ai beau leur dire que je viens pas d'une ferme, y disent quand même que je sens la bouse de vache. J'ai déjà été obligé d'en assommer deux ou trois pour me faire respecter. Chus pourtant pas violent…

— Arrange-toi pas pour te faire punir.

— C'est déjà fait. J'ai déjà une petite réputation. Ça paraît peut-être pas parce que chus pas gros, mais chus faite fort!

— Un vrai Desrosiers.

— C'est ça que moman Rose dit tout le temps. Un vrai Desrosiers.»

Un klaxon.

C'est l'heure.

Il se lève, prend son barda, met son képi.

Elle le reconduit jusque dans l'entrée, lui ouvre la porte.

« Fais attention à toi.

— Inquiétez-vous pas pour moi. J'ai pas l'intention de me laisser faire. »

On dirait qu'il veut lui faire mal. Il saute brusquement sur elle comme s'il voulait la frapper, la soulève à bout de bras, l'embrasse sur les deux joues.

Par les fenêtres ouvertes de l'autobus, des moqueries fusent.

« C'est la femme de ta vie, Desrosiers ?

— Tu nous avais caché ça !

— Déjà gigolo à ton âge !

— T'aurais pu la choisir plus jeune ! »

Il se tient sur la dernière marche du perron, les poings sur les hanches.

« C'est ma mère. J'vous présente ma mère, Ernestine Desrosiers. Pis si j'entends une seule autre niaiserie, j'vous étampe un après l'autre ! »

Il se retourne, lui envoie la main.

Elle voudrait dire une dernière chose, une parole d'affection, lui donner une preuve de son amour, mais s'en trouve incapable.

Elle reste toute droite, les cuisses appuyées contre la petite clôture de fer qui ferme son parterre gazonné, jusqu'à ce que l'autobus ait tourné le coin de la rue Dorchester.

Puis elle rentre dans son appartement qui va retrouver sa léthargie coutumière après une semaine d'une effervescence comme il n'en avait jamais vu, ni espéré.

Elle va se faire un thé. Non, un café. Quelque chose de chaud et de fort qui pourrait peut-être la réconforter.

Demain, le magasin de chaussures, Édouard et ses manières de *vieux garçon*, les clients qui ne savent pas ce qu'ils veulent.

Un ange a passé dans sa vie et n'a rien changé.

« Ça fait drôle de venir manger ici. Comme cliente, je veux dire… J'en ai tellement servi des repas dans c'te maudit restaurant là… »

Alice ajoute trois sucres à son café. Béa a beau lui répéter, depuis qu'elles ont eu la permission d'en boire quand elles étaient adolescentes, que ça doit goûter le bonbon au café, elle n'en démord pas.

« Tu le sais, c'est pas le café que j'aime, c'est le sucre ! »

Elle tourne la tête, regarde en direction de la cuisine.

« Pis quand on pense que Claudette travaille encore ici ! Avec sa corporence, j'étais sûre que depuis le temps elle essayerait d'avoir la job de caissière…

— Ça paye moins, caissière.

— Tu veux dire que ça paye pas pantoute. C'est pas fatiquant, mais c'est pas payant non plus. Tant qu'a' sera capable de se barouetter d'un bord pis de l'autre, j'suppose qu'a' fait ben de rester sur le plancher… A' gagne mieux sa vie, tant qu'à ça… Mais je la plains. Est-tait déjà pas mal essoufflée quand je travaillais avec elle, qu'est-ce que ce doit être à la fin de ses *shifts* aujourd'hui… »

Sur les entrefaites Claudette s'est approchée, cafetière au poing. Et visiblement exténuée.

« Y est frais. J'viens de le faire. »

Elles refusent toutes les deux.

Béa étire la main vers l'addition.

« Ça ferait trop de sucre pour Alice. Pis moi, le café me rend nerveuse quand j'en prends trop. »

Claudette fait signe à Alice de se pousser sur la banquette nouvellement recouverte d'une imitation de cuir d'un vilain rouge sang. Béa repose la note sur la table de formica. Quand Claudette commence à jaser, ça peut être long. En revanche, c'est souvent intéressant...

« Vous avez pas emmené vos enfants ? »

Alice lève les yeux vers le plafond.

« J'ai eu ma leçon la dernière fois !

— C'tait pas si grave...

— Pour toi peut-être, mais c'est moi qui ai été obligée de la calmer, après ! On devrait jamais emmener des enfants au restaurant ! Jamais ! Un coup fini de manger y s'ennuient, y savent pas quoi faire, y se tortillent...

— Pis y renversent tout sur la table. C'tait pas grave, Alice, je te le dis...

— On devrait pouvoir les attacher à un poteau, dehors, comme les chiens... »

Elles rient de bon cœur.

« Alice, franchement...

— Ben quoi ! Je le pense pas, mais ça fait du bien de le dire ! J'avais eu assez honte... Déjà que monsieur Gagnon m'a jamais portée dans son cœur...

— Surtout depuis la fois du *pepper steak*.

— Mon Dieu, je l'avais oubliée, celle-là... »

Béa fronce les sourcils, se penche vers les deux autres. Elle adore les anecdotes au sujet du Geracimo où toutes sortes d'individus, pas tous respectables, se retrouvent chaque jour et jusqu'à tard le soir pour dévorer la spécialité du restaurant, le fameux *pepper steak*, des bouchées de bœuf sautées à la poêle avec des oignons, du piment vert et de la sauce soya. C'est salé, ça donne soif, c'est la raison pour laquelle les sérieux buveurs aiment ça.

« Comment y s'appelait, déjà, Wilfrid ?

— Pas Wilfrid, Wilbrod ! Wilbrod Brodeur, si tu peux croire… »

Claudette dépose la cafetière sur la table au risque d'en brûler la surface.

« Hé, qu'on avait ri, c'te fois-là ! »

Alice se tourne vers sa sœur en s'allumant une cigarette. Elle agite la main devant son visage après avoir produit un long fuseau de fumée grise.

« S'cuse-moi, j'oublie toujours que tu fumes pas…

— C'est quoi l'histoire de Wilbrod Brodeur pis du *pepper steak* ?

— Écoute ben ça… Quand je travaillais ici y avait un client qui venait quequ'fois par semaine pis qui commandait toujours la même chose, un *pepper steak* pas de piments. Nous autres on trouvait ça drôle, on l'appelait le *pepper steak* dans son dos, mais ça énervait Jean-Guy Gagnon qui trouvait ça niaiseux que le Wilbrod en question commande pas un steak tout court. Pourquoi appeler ça un *pepper steak* si y voulait pas de piments ? Surtout quand c'est la spécialité de la maison ! Tant qu'à ça, y avait raison… Ça fait qu'une bonne fois, tu me connais, y a rien à mon épreuve, j'me sus décidée à demander à Wilbrod Brodeur pourquoi y commandait ça comme ça… T'as pas idée à quel point c't'homme-là a été insulté ! J'pensais qu'y allait me grimper dans la face ! Mais comme tout le monde le regardait, y a été obligé de s'expliquer. Y était rouge comme une tomate pis y suait tout ce qu'y pouvait. Imagine-toi donc que ce qu'y aimait c'était la sauce soya qu'on met dans le plat, le côté salé de la sauce soya, qu'y savait pas comment ça s'appelait, pis que pour être sûr qu'y en aurait dans son steak y appelait ça un *pepper steak* pas de piments! Y était tellement humilié d'avoir été obligé de confesser ça que j'ai quasiment eu pitié de lui. Jean-Guy Gagnon, lui, me l'a jamais pardonné. Y disait que c'était pas de mes affaires, que je m'étais encore mêlée de ce qui me regardait pas, que ça aurait été à lui de faire ça discrètement pis, encore une fois, j'avais failli perdre ma job. Pour une niaiserie pareille! Franchement! J'avais faite ça pour ben faire, moi! Mais je suppose que le boss avait peur que Wilbrod aille se plaindre du service du Geracimo, qu'y nous fasse une mauvaise réputation dans le milieu des amateurs de sel!»

Elle écrase sa cigarette dans le cendrier en riant.

«Après ça, on appelait ça *le spécial Wilbrod* entre nous. Mais dans le dos de monsieur Gagnon, par exemple.»

Claudette se lève, reprend son pot de café.

«Bon, faut que j'y retourne, moi...

— Mon grand ami est pas là, à midi? Je l'ai pas vu.

— Non, mais y a sa femme! Est pire que lui!»

Béa reprend l'addition, se prépare à s'extirper du banc un peu trop étroit pour elle (son ventre touche le bord de la table).

Alice la retient par la main.

«Attends. Je voulais te parler de quequ'chose...

— Ça va-tu être long? Tu sais que moman nous attend avec les enfants...

— C'est justement d'elle que je voulais te parler.

— Quoi? Qu'est-ce qu'elle a?

— Je le sais pas, mais je la trouve pas comme d'habitude…

— J'ai rien remarqué, moi…

— Tu remarques pas ces affaires-là, toi…

— C'est ça, dis-moi que chus pas intelligente.

— T'es t'intelligente, Béa, mais tu t'en sers pas toujours… Pis laisse-moi parler avant de monter sur tes grands chevaux. Y est pas question de toi, là, y est question de moman.

— Qu'est-ce qu'elle a, moman?

— Elle a changé depuis qu'elle a arrêté de travailler…

— C'est sûr qu'a' s'ennuie. Mais ça va y passer.

— Pas sûre, moi…

— Pourquoi tu dis ça?»

Alice s'allume une autre cigarette. Béa soupire.

«Tu devrais te forcer un peu quand chus là, tu sais que j'haïs ça respirer la boucane des cigarettes… Surtout dans mon état. J'ai facilement mal au cœur.

— Quand chus nerveuse chus pas capable de m'en empêcher…

— T'es nerveuse pour moman?»

Le Geracimo s'est vidé peu à peu. L'heure du lunch est terminée, tout le monde est retourné travailler. Les quelques retardataires sont des mères de famille comme Alice et Béa, la plupart accompagnées de leurs enfants qui n'en peuvent plus d'attendre et qui font les quatre cents coups à travers le restaurant.

«Tu vois ce que je voulais dire…

— C'est pas quequ' z'enfants qui courent qui vont déranger quoi que ce soit…

— Tu dois en savoir quelque chose…

— Pourquoi tu dis ça?

— T'es encore en famille… Ton quatrième.

— Ben quoi, mon quatrième! Nana aussi a quatre z'enfants!

— Mais ça fait dix ans qu'est mariée! Toi, t'as eu un bébé chaque année depuis que tu t'es mariée...

— Arthur veut pas empêcher la famille...

— Pis si y te fait encore dix enfants avant que tu soyes pus capable?

— Arrête ça! Fais-moi pas peur! J'en ai parlé à confesse pis le prêtre m'a dit que c'était Arthur qui décidait.

— Pars-moi pas sur les prêtres! Tu sais ce que je pense d'eux autres!

— Va dire ça à mon mari...

— Tu t'étais pas aperçue que c'était un grugeux de balustre avant de le marier? Tu le trouvais trop beau quand y allait te visiter à la biscuiterie?

— Alice! Y est bedeau à c't'heure! C'est sûr qui suit les lois de la religion!

— Pis vous empêchez jamais, jamais la famille? Y vient jamais dans le foin?»

Béa a tellement rougi qu'on dirait que sa tête va éclater. Elle sort un mouchoir de son sac, s'essuie le cou.

«Mets-toi pas dans c't'état-là, Béa! C'est juste une question que je te posais! Mon Lucien, lui, y est tellement chaud lapin que si on n'empêchait pas la famille de temps en temps j'tomberais enceinte aux deux jours!»

Elle rit de son bon mot en éteignant sa cigarette.

«J'vas avoir pitié de toi...

— Y me semblait que tu voulais parler de moman...

— C'est vrai. Moman. Est pus comme avant, tu trouves pas? Avant, a' se plaignait toujours, son travail, ses heures de travail, ce qu'a' gagnait... Mais est-tait pleine d'énergie! Tu te souviens, on disait qu'elle en

137

avait plus que nous autres! Aujourd'hui, on dirait qu'a' s'est éteinte…

— J'te l'ai dit, ça va y passer… C'est nouveau, ses soirées sont pas occupées comme avant, a' sait peut-être pas quoi faire de son corps. Ça va revenir.

— J'voudrais ben te croire. T'as vu avec les enfants, à matin? C'est elle qui nous avait offert de prendre congé d'eux autres, de venir manger ici pour nous changer les idées, pis quand on est arrivées on aurait dit qu'elle avait pus le goût… D'habitude a' se jette dessus pour les embrasser, là on aurait dit qu'elle avait peur d'eux autres, c'est pas mêlant.

— Qu'est-ce que tu veux qu'on fasse? C'est sa vie.

— Je le sais ben! Mais c'est pas une raison pour pas s'inquiéter.

— Elle a monsieur Rambert…

— Monsieur Rambert est drôle comme une patte de table! C'est pas lui qui va l'aider à se sortir de la dépression!

— T'exagères, encore! C'est peut-être pas de la dépression…

— Y faudrait qu'on y parle, ça doit être terrible de se retrouver à rien faire…

— C'est vrai qu'on pourrait y parler…

— On devrait faire ça en arrivant tout à l'heure!

— Alice! On est pas préparées!

— Depuis quand ça prend de la préparation pour parler à sa mère?

— Depuis toujours, Alice, depuis toujours.

— C'est vrai, t'as raison. Surtout elle. Elle a toujours tout décidé tu-seule, elle a jamais pris les conseils de personne…

— On peut essayer, tâter le terrain, on verra ben… »

Elles ramassent leurs affaires, songeuses et inquiètes de ce qui les attend à leur arrivée chez leur mère. Alice se boutonne jusqu'au cou. Elle sent un petit grattement au fond de sa gorge depuis la veille dont elle n'arrive pas à se débarrasser même à grandes gorgées de sirop Lambert.

«En attendant, tu devrais dire à ton Arthur de se faire un nœud dedans de temps en temps. Si est assez longue, évidemment.»

On l'entend rire jusqu'à l'autre bout du restaurant.

Au moment où elles vont quitter le Geracimo, une surprise les attend.

Leur frère Théo est attablé à une banquette près de la porte en compagnie d'une jolie brunette. Ils se dévorent des yeux en savourant un milkshake au chocolat dans lequel sont plongées deux pailles. Théo, trop occupé, ne voit pas passer ses deux sœurs et elles se retrouvent sur le trottoir de la rue Sainte-Catherine en se poussant du coude et en riant.

«Théo qui a une blonde!

— Y était temps! Y a vingt ans passés!

— Je le sais ben, mais pour moi c'est encore un enfant…

— Première chose qu'on va savoir, y va se mettre à faire des bébés… Hé, que le temps passe vite…»

Quelque chose s'est produit en leur absence. Leur mère qu'elles avaient laissée ombrageuse et plutôt bougonne avec les enfants s'est transformée comme par miracle en une boule de bonne humeur, souriante, presque sautillante.

Les enfants couraient dans la maison à leur arrivée, ça riait, ça criait, c'était tout rouge d'excitation et trop occupé pour saluer le retour des deux mères.

Une voix leur est parvenue du fond de l'appartement.

« On joue à la cachette ! C'est moi qui cherche pis je vous dis que j'en cours un coup ! C'est pas des enfants que vous avez là, c'est plus vite que des écureuils ! »

Elle a surgi de la cuisine, essoufflée, souriante, la main sur le cœur, et a parcouru le corridor presque en courant.

« OK, les enfants ! On va arrêter, grand-moman en peut pus ! »

Elle s'écrase dans un fauteuil du salon, s'évente avec son tablier.

« Y vont me faire mourir ! Mais sont tellement drôles ! Des vrais petits démons ! Écoutez, j'en ai trouvé un en dessous de mon lit pis y a à peine de la place pour glisser une paire de souliers ! »

Ses deux filles se regardent en fronçant les sourcils.

La boisson ? Non, quand même pas à deux heures de l'après-midi !

Elles s'installent de chaque côté de Maria. Alice sort une cigarette, se ravise, la replace dans le paquet.

« J'vous dis que vous avez l'air de bonne humeur, moman…

— Ben oui. Je sais que j'avais l'air bête quand vous êtes arrivées, à matin, pis j'm'en excuse, mais j'ai eu une bonne nouvelle entre-temps…

— A' devait être bonne vrai pour vous rendre comme ça ! »

Les enfants ont envahi la pièce en piaillant et en se chamaillant. Le petit dernier de Béa s'est réveillé et braille dans la chambre de sa grand-mère. Béa se relève aussitôt.

«J'vas aller le changer…

— Apporte tes affaires ici, j'ai hâte de vous conter ça! Pis j'te dis que c'est pas un bébé que t'as là, c'est une vraie usine à marde! Je l'ai déjà changé deux fois depuis que vous êtes parties… Deux numéros deux, en plus!»

Béa revient bientôt avec son barda de mère débordée. Des couches de coton bien pliées, du savon, de l'eau, de la poudre de talc, de l'huile.

«Avez-vous changé Louise, aussi?

— Oui. Mais juste une fois.

— Est presque propre… J'vous dis que j'ai hâte…»

Pendant que Béa change son petit dernier – ça sent tellement mauvais dans la pièce que les autres enfants se sont éclipsés et que les trois femmes respirent par la bouche – Maria raconte ce qui s'est passé pendant qu'Alice et Béa étaient chez Geracimo.

«Imaginez-vous donc que Fulgence me préparait une surprise depuis un bout de temps.

— Mon Dieu, c'est pas le genre à surprises, pourtant.

— Non, t'as raison, Alice, y est plutôt plate. Mais bon, on peut pas toutes être des jacks-in-the-box, hein… J'suppose que ça prend un homme comme lui pour endurer une femme comme moi…

— C'est quoi la surprise, moman! Faites-nous pas attendre…»

Maria, qui sait comment ménager ses effets, croise ses mains sur ses genoux, se racle la gorge, fait semblant de réfléchir.

«Moman, franchement! On le sait que vous vous mourez de nous le dire!»

Maria rit, donne une tape sur la cuisse d'Alice.

«Pis vous autres vous vous mourez de le savoir, hein? Ben imaginez-vous donc que Fulgence nous

141

préparait un voyage en cachette! Pis comme y est allé acheter les billets de train à matin, y m'a appelée de la gare Windsor.

— Où c'est que vous allez?

— À Québec, ma petite fille! Y vient de là, lui, je sais pas si je vous l'ai déjà dit… En tout cas, y a encore de la parenté, ça a l'air, pis on va être une semaine partis! Ça se peut même qu'on pousse une pointe jusque dans Charlevoix!»

Les deux filles sont estomaquées. Depuis leur arrivée à Montréal, des années plus tôt, elles ne sont à peu près jamais sorties de l'île de Montréal et Québec leur semble le bout du monde.

«Vous qui vous sentiez étouffer à Montréal, moman, vous devez être heureuse!

— Qui t'a dit que j'étouffe à Montréal, toi?

— Vous avez pas besoin de nous le dire, ça paraît! Depuis que vous travaillez pus, vous tournez en rond…

— Mêle-toi donc de ce qui te regarde, toi! Contente-toi donc de poudrer les fesses de ton bébé au lieu de mettre ton nez dans les affaires des autres!

— Mon Dieu, moman, vous changez d'humeur vite!

— Excuse-moi, t'as raison… Mais chus tellement énervée! Québec! En train! Pis en première classe!»

Bien sûr, elle n'arrive pas à dormir. Elle s'était pourtant juré de ne pas se laisser aller à rêver, elle se connaît, l'appel des grands horizons, de l'aventure, l'excitation devant la perspective de briser les nœuds trop serrés du quotidien, tout ça va stimuler son imagination, elle aura tendance à supposer, à supputer, à exagérer les possibilités de ce voyage, quitte à être déçue. Voilà le problème. Le danger de la déception. Elle sait très bien que Québec n'est pas le bout du monde, qu'une semaine est vite passée, qu'elle n'aura pas le temps de tourner la tête que le moment de reprendre le train sera arrivé, mais elle ne peut pas s'empêcher de voir tout ça non pas comme une parenthèse, une bulle bien ronde, une échappée dans son existence morne, mais plutôt comme une porte de sortie définitive, une issue par laquelle elle pourra s'immiscer et disparaître à tout jamais. Elle se trouve folle, elle essaie de se raisonner, de se contenter de rêver à la beauté de Québec, à la vie au Château Frontenac, aux bons restaurants, son imagination l'emmène toujours plus loin, passé la réalité, la simple visite d'une belle ville, elle se laisse emporter, il n'y a pas de fin, il n'y a pas de fin à ce voyage, ce n'est pas un voyage, c'est une nouvelle existence qui l'attend, faite de… faite de… Elle va retomber, elle va se retrouver dans son lit, il faut qu'elle trouve de quoi sera faite cette nouvelle existence, des choses excitantes, différentes chaque jour, des surprises, des… Elle essuie ses larmes. Elle ne sera donc jamais contente ? On lui offre un cadeau pour lutter contre sa mélancolie et elle en fait un rêve impossible qui risque de la précipiter encore plus profondément dans la prostration qui lui pèse sur le cœur depuis qu'elle a arrêté de travailler. Maudite folle ! Contente-toi donc de ce qu'on t'offre ! Apprécie donc ce que t'as au lieu de rêver à ce que t'auras jamais ! Au lieu de courir au désappointement, ouvre tes bras aux souvenirs que tu vas rapporter, qui vont être juste des souvenirs, justement, rien d'autre, qui vont peut-être t'aider à survivre. Maudite folle. Maudite folle. Arrête donc de rêver. Dors donc.

Des imbéciles! Tous! Des imbéciles! Jamais ils n'ont compris, jamais ils n'ont su voir qui il était! Tout ce qu'ils voient, tout ce qu'ils sont capables de voir, c'est l'enveloppe, la maudite enveloppe, le soûlon qui boit parce qu'il n'a pas d'autre solution, qui se gèle le cerveau pour oublier les affronts qu'on lui a faits, la reconnaissance qui lui a été refusée, lui qui aurait pu... Il a déjà su ce dont il aurait été capable si on lui en avait donné la chance, il l'a crié sur les toits, il l'a servi pendant des années à qui voulait l'entendre, lui, le traducteur de talent qui s'adonnait à la poésie, qui se nourrissait des petits poèmes qu'il griffonnait en marge des ennuyeuses traductions qu'il faisait de l'anglais au français. Maintenant... Il ne sait plus trop. Ce dont il aurait été capable. Il se souvient de la certitude qui le gardait en vie, des projets qui le rendaient fou d'espoir, du poème-fleuve qu'il projetait depuis sa jeunesse, des stances qu'il avait esquissées – striées, raturées, mais si pleines de lui –, il se souvient que tout ça a existé mais rien n'est précis désormais, l'alcool (la bière, surtout, depuis qu'il n'a plus les moyens de se payer autre chose) le plonge de plus en plus dans la léthargie qu'il a pourtant tant souhaitée mais qui a fini par devenir son état naturel, le seul état endurable, le seul état dans lequel il ne souffre pas le martyre. Parce que martyr il l'est. Demander à un poète – déchu, soit, déçu par le manque d'encouragement, démoli par la vie, le quotidien, la famille, la femme ignorante, les enfants ingrats –, à un poète en devenir, à un arbre qui n'a pas encore porté ses fruits, demander à un être rempli d'espoir, à un esprit élevé de remplir les tâches abjectes d'un concierge, de plonger les mains dans les eaux grasses des seaux qui servent à laver les planchers, de sortir les poubelles deux fois par semaine, de courir répondre à la moindre plainte des résidents, des êtres encore plus insignifiants que sa propre famille, être leur serviteur, oser lui demander, à lui, d'être leur serviteur ! Personne ne s'est donc jamais demandé *pourquoi* il boit, pourquoi il récite des poèmes à la lune, pourquoi il cite les grands auteurs pour impressionner les buveurs qui rient de lui ? Personne ne s'est jamais rendu compte que rien de tout ça n'est de sa faute ? Que c'est la faute des autres ? Qui refusent, *refusent*, de le comprendre, de voir ce qu'il est, qui il est ? Ses patrons, à l'hôtel de ville de Montréal, qui l'ont mis à la porte, il y a longtemps, parce qu'il n'arrivait plus à se présenter au travail sans avoir bu ! Pour survivre ! À sa job et à eux ! Sa femme, qu'il avait pourtant sauvée d'une vie de paria, qui l'avait toujours regardé de haut alors qu'elle aurait dû passer sa vie à lui embrasser les pieds de reconnaissance ! Ses enfants qui faisaient depuis toujours comme s'il n'existait pas, peut-être parce qu'ils avaient peur de lui, et à qui il rendait au centuple leur indifférence. Et surtout, oui surtout, les waiters des débits de boissons qu'il fréquente et qui lui refusent désormais de lui faire crédit ! Sans argent et sans crédit, comment va-t-il trouver le moyen de se noyer dans la seule panacée qu'il connaisse? Est-il désormais condamné à regarder ses mains trembler et à endurer les affres de la soif? Son ventre qui se tord, ses nerfs qui bouillent, son cerveau qui veut éclater? Et les récriminations de sa femme qui s'est déchargé le cœur devant tout le monde? Que peut-il faire s'ils sont tous contre lui? Il n'avait peut-être qu'un talent médiocre, après tout, mais assassiner un talent, quel qu'il soit, est un crime dont on devrait avoir à subir les conséquences. Alors que c'est lui qui paye! Pour eux! Les vrais coupables!

Il sort la dernière bière de la glacière. Tiède parce que la glace a fondu depuis longtemps.

S'il hurle à la lune, ce soir, ce sera par manque de carburant et non parce qu'il en aura trop absorbé.

C'est elle qui a pris les devants. Lui n'aurait jamais osé.

Sans doute pour l'impressionner il l'avait invitée au spectacle d'inauguration du théâtre Loew's qui venait d'ouvrir ses portes après des mois de rénovations. Un spectacle venu de New York, *Continental Revue*, y tenait l'affiche depuis des semaines devant des foules subjuguées qui n'avaient jamais vu tant de décors (trente-deux changements!) et de costumes sur une même scène. Mais Fleurette et lui s'étaient présentés à la dernière minute dans l'espoir d'attraper des places invendues ou des annulations et il n'y avait plus de billets. Théo avait été plus déçu que Fleurette. Son effet était raté, sa sortie gâchée. Il avait aussitôt parlé de rentrer la reconduire chez elle à pied en parcourant la rue Sainte-Catherine d'ouest en est. La soirée était douce après deux jours de fraîcheur, on allait bientôt s'enfermer pour de longs mois, pourquoi ne pas en profiter une dernière fois avant que le froid s'installe? (Il oserait lui prendre la main et, qui sait, s'il en avait le courage, lui enserrer la taille et se coller contre elle.) Elle avait plutôt suggéré d'aller manger un dessert chez Murray's pour se consoler – leur *plum pudding* était semble-t-il délicieux – et Théo, qui adorait tout ce qui était sucré, avait accepté en ajoutant qu'il avait aussi entendu parler de leur tarte aux pacanes.

Lorsqu'ils étaient passés devant le cinéma Palace, Fleurette avait tiré Théo par la manche de chemise et ils s'étaient approchés des photos qui garnissaient les présentoirs vitrés situés de chaque côté du guichet, une impressionnante cage, elle aussi vitrée, où trônait une impressionnante femme au visage fardé à l'excès.

On y projetait *Top Hat*, le dernier film de Fred Astaire et Ginger Rogers, qui faisait aussi sensation.

«On y va-tu? Au lieu de regarder des danseurs sur la scène, on va les regarder sur l'écran. Y vont être ben plus gros!

— C'est même pas en couleur!

— Non, mais y paraît qu'y a encore plus de monde que dans *Continental Revue*! Pis j'adore la danse à claquettes!

— À c't'heure que tu m'as parlé de dessert, j'sais pus trop si j'ai envie d'aller aux vues…

— On ira après, manger un dessert! Murray's va être encore ouvert!

— C'est un restaurant anglais. Y ferment de bonne heure les Anglais…

— Théo! Fais-moi pas fâcher!»

Elle l'avait attiré au balcon, là où les amoureux se réfugiaient pour s'adonner à leurs petites affaires. Quelques couples, dispersés çà et là, s'embrassaient et se minouchaient en se tortillant. Théo avait remercié le ciel pour l'obscurité qui régnait dans le cinéma – le film était commencé depuis quelques minutes – et qui empêchait Fleurette de le voir rougir.

Ils étaient seuls au troisième rang. Sur l'écran Fred Astaire dansait sur du sable qu'il avait pris dans un grand cendrier d'hôtel – a-t-on idée ! – lorsque Théo avait senti le frôlement d'une main sur son genou.

À vingt-deux ans Théo n'a encore aucune expérience des femmes. Oh, il les connaît bien, il a été élevé avec trois sœurs plus vieilles que lui, il les a observées, il les a écoutées parler depuis sa petite enfance, il a chanté avec elles des chansons d'amour dont il ne comprenait pas les paroles, il a ri avec elles lorsqu'elles étaient de bonne humeur, il les a consolées quand une peine d'amour frappait l'une d'entre elles (surtout Béa qui, lorsqu'elle fréquentait encore l'école, s'entichait de maigrelets que son embonpoint n'intéressait pas et qui pleurait des garçons qui ne l'avaient même jamais regardée), il les a humées avant qu'elles ne quittent la maison, le samedi soir, énervées si le nouveau cavalier les excitait, plutôt sereines, comme résignées, s'il ne les intéressait pas vraiment, il a entendu leurs cris d'horreur lorsque se sont manifestées leurs premières menstruations et a essayé de décoder ce qu'elles voulaient dire quand elles parlaient de guenilles, qu'elles avaient besoin de guenilles, qu'elles n'en auraient jamais assez parce que trois filles dans une même maison… Mais vivre avec trois sœurs qui vous aiment trop, qui vous catinent, pour qui vous êtes une sorte de poupée animée, et sortir avec une fille sont deux choses totalement différentes, la deuxième, en tout cas pour lui, étant plus complexe, moins précise, un mélange d'excitation à cause de ce qui risque de se produire et de timidité parce qu'il ne sait pas comment s'y prendre pour que ça se produise. (Sans père, il n'a pas eu *la* conversation que tous les hommes redoutent et dont ils finissent par s'acquitter à demi-mot, sans se regarder dans les yeux et dont ils font ensuite semblant qu'elle n'a jamais eu lieu.) Il a assez souvent pris une fille par la main, senti ce désir, ce besoin d'aller plus loin – jusqu'où, quand s'arrêter, et comment faire ? –, mais soit elles se raidissaient à ses premières tentatives un peu osées – *chus catholique, les catholiques font pas ça* –, soit elles lui accordaient quelques libertés pour aussitôt se dérober en jouant les saintes nitouches – *chus catholique, les catholiques font pas ça.* La phrase passe-partout et sans réplique.

La fille à côté de lui ne fait certainement pas partie des saintes nitouches !

Aussitôt qu'ils ont été assis dans leurs fauteuils, il a eu envie de passer son bras autour des épaules de Fleurette. Pour voir comment elle réagirait. Après tout c'est elle qui lui avait donné son numéro de téléphone, il ne devait pas lui être indifférent. Non. Pas tout de suite. Attendre un peu. Regarder Fred et Ginger faire leurs samarcettes rapides et compliqués, les écouter chanter – faux et d'une voix nasillarde – des chansons insipides dont il était content de ne pas comprendre les paroles. Saura-t-il reconnaître le bon moment ? Et à quoi ? (Au fait, pour qui ont été inventées les comédies musicales ? Pour les filles rêveuses qui s'imaginent dans les bras de Fred et finissent par se retrouver dans ceux de leur voisin ? Pour les gars comme lui, trop timides pour agir et qui profiteront de la fin d'un beau numéro musical pour esquisser leurs premières tentatives de séduction ? *Je suis Fred Astaire, je suis élégant, je danse bien et je veux t'embrasser…*)

«Qu'est-ce que tu fais là?»

C'est sorti tout seul. Au moment où il a senti la main sur sa cuisse, il a réagi sans y penser alors que c'est ce qu'il aurait voulu faire lui-même : approcher sa main droite de la cuisse gauche de Fleurette, oser un frôlement, juste pour voir si elle l'encouragerait – la jambe qui ne se retire pas, peut-être un petit tremblement du genou – ou si elle ferait celle qui croit que c'est un accident en s'éloignant un peu de lui.

«Mon Dieu, Théo, t'es ben nerveux!

— Excuse-moi…

— Relaxe un peu!»

La main s'est faite insistante. Elle a même remonté un peu plus haut sur la cuisse.

«Tu m'embrasses pas? On monte au balcon pour s'embrasser, d'habitude…»

Le fait est que l'effet a été immédiat et Théo s'en trouve très gêné. La chaleur de la main de Fleurette s'est propagée au reste de son corps et – honte! – une érection s'est aussitôt manifestée. Il suffirait de peu – quelques pouces à peine – pour qu'elle s'en rende compte. Mais c'est peut-être ce qu'elle veut…

Il passe son bras autour des épaules de Fleurette, leurs têtes se rapprochent et le baiser qui suit est une révélation. Il l'a déjà embrassée, il sait à quel point ses lèvres sont douces, coussinées, pulpeuses, mais jamais elles n'avaient produit une telle réaction chez lui. Est-ce la présence de la main là, en bas, qui continue lentement son ascension? Il a le souffle court, la tête lui tourne, c'est ce qu'on lui avait dit qui arrivait aux filles quand on les embrassait – à l'école ou au travail, des conversations de gars qui fanfaronnent en prétendant en connaître plus qu'ils n'en connaissent –, est-ce qu'il est en train de réagir comme une fille, est-ce que c'est lui qui va perdre le contrôle et céder à ses avances à elle ?

Ça y est, elle a trouvé. Mais la main ne se retire pas, au contraire, elle se fait encore plus indiscrète. C'est la première fois que la main de quelqu'un d'autre s'empare de son membre dressé et l'excitation – immédiate – est si grande que…

Une explosion. Un cri étouffé. Il a lancé un cri dans sa bouche à elle pendant qu'une souillure humide et poisseuse tachait son pantalon. La honte est encore plus vive. Qu'est-ce qu'il doit faire ? S'excuser ? Continuer sans rien dire ? Faire comme si de rien n'était et glisser sa main sous sa jupe ? Mais quoi faire après ? Il ne sait pas quoi faire après ! Comment baisser la petite culotte, se servir de quoi, de ses doigts ? Mais comment ? Tout ce qu'il connaît c'est son sexe à lui, il ne sait rien de celui des femmes !

La main de Fleurette s'est retirée. Elle doit avoir les doigts tout collants ! Il voudrait mourir, là, tout de suite, disparaître dans son siège, ne pas avoir à lui faire face, à lui expliquer. Mais lui expliquer quoi ? Il n'y a rien à expliquer, ça s'est passé trop vite, il n'a pas pu se retenir, un adolescent attardé de vingt-deux ans qui n'a aucun contrôle sur son corps, un imbécile qui n'a pas su faire durer le plaisir ! Et le désir qui s'est si vite enfui comme après une masturbation et qui sera suivi, il en est convaincu, par cette culpabilité débilitante d'avoir enfreint les règles, d'avoir… péché ! Tout seul dans son lit il se retournerait sur le côté et s'endormirait, mais ici, au balcon du cinéma Palace, avec une fille qui n'a pas eu de plaisir, elle, et qui se retrouve la main poisseuse, dans les bras d'un gars qui n'est plus passionné, comment agir ? Faire semblant ? Mais il n'a pas le goût de faire semblant, il veut juste… quoi ? Se retourner sur le côté et s'endormir ?

C'est elle, bien sûr, qui sauve la situation.

Elle met fin au baiser d'une façon assez brusque, éloigne sa tête de celle de Théo, sort un mouchoir de son sac à main. Ses paroles pourraient être cruelles, elles sont pourtant prononcées sur un ton de simple constatation, une jeune fille pratique, terre à terre, qui ne s'embarrasse pas d'une situation délicate.

« Ça va peut-être avoir le temps de sécher avant que le film finisse. »

Elle a réussi à extirper Victoire de sa maison. C'est du moins l'expression qu'elle utilise lorsqu'elle apprend à ses deux sœurs, au téléphone, que la belle-mère de Nana va se joindre à elles lors de leur prochaine partie de cartes. Alors que Teena se réjouit de l'arrivée d'une nouvelle joueuse, Tititte, qui se targue, à tort, de parler un meilleur français que les autres membres de sa famille, reprend Maria aussitôt qu'elle a fini sa phrase.

«Tu l'as pas encore extirpée, Maria. Tu *vas* l'extirper. C'est pas encore fait! Quand a' va être rendue chez vous, tu vas pouvoir te vanter de l'avoir extirpée de chez elle, pas avant... Extirper, ça veut dire...»

Maria a failli lui raccrocher au nez.

«J't'ai pas appelée pour que tu me reprennes sur ma façon de parler, Tititte, j't'ai appelée pour te dire qu'on va être quatre pour jouer aux cartes lundi soir, pis que comme c'te femme-là est pas sortie de sa maison depuis j'sais pus trop combien de temps, va falloir faire attention à elle...

— Est-tait quand même pas prisonnière!

— D'après ce que Nana m'a conté, c'était pas loin...

— Au fait, a' sera pas là, Nana?

— Non, j'aurais aimé ça, a' la connaît mieux que nous autres. Mais avec ses quatre z'enfants...

— Tant qu'à ça, ça doit pas être facile…

— Moi aussi j'en ai eu quatre, des enfants, pis ça m'a jamais empêchée de jouer aux cartes avec vous autres!

— Les parties se passaient souvent chez vous…

— Ouan. T'as ben raison.

— Pis te souviens-tu quand tu les emmenais, ici ou chez Teena, le fun qu'on avait?

— Ouan, jusqu'à ce qu'y se tannent pis qu'y se mettent à hurler qu'y voulaient partir…

— Alice, surtout…

— Pis Béa qui suivait derrière…

— Pis Théo qui avait peur de tout…

— Des soirées qui commençaient ben pis qui finissaient toujours mal. »

Maria n'ose pas ajouter que ses soirées avec ses enfants ont presque toujours mal fini parce qu'elle ne savait pas comment s'y prendre avec eux. Et que maintenant qu'il ne reste plus que Théo à la maison, les veillées sont plutôt plates et longues. Pauvre Théo. Ce n'est pas lui qui met le fun dans les partys… En fin de compte, il est aussi plate que son père… Elle se surprend même parfois à s'ennuyer de ses engueulades avec Alice ou des chicanes entre Béa et sa sœur. Au moins, il se passait quelque chose. Tandis que maintenant…

Elle attend que Tititte ajoute quelque chose. Ce qui ne tarde pas.

« J'pensais à ça, là… C'est drôle, hein, toi t'as eu trois filles pis un garçon, pis Nana a trois garçons pis une fille…

— Y a rien de drôle là-dedans…

— J'veux dire le hasard… C'est un drôle de hasard. Surtout que ta plus vieille est une fille pis que son plus vieux est un garçon…

— Que c'est que t'essayes de me dire, là, Tititte?

— Rien, c'est juste drôle… J'y avais jamais pensé avant aujourd'hui…

— Ça changerait rien si j'y pensais. Pis j'y penserai pas.

— OK, moi non plus, j'vas arrêter d'y penser… Mais au sujet de l'autre, là, la cloîtrée, ça veut dire quoi faire attention à elle? Est-tu en dépression?

— Tititte, si t'étais pas sortie de chez vous depuis des années parce que t'étais concierge d'immeuble, penses-tu que t'aurais l'air fier-pet que t'as là? Je le sais pas, moi, a' va peut-être pas se sentir à l'aise en visite, comme ça… Est pas venue ici depuis dix ans, depuis le mariage de Nana…

— A' sait-tu jouer aux cartes, au moins?

— Si a' le sait pas, on va y montrer, c'est toute!

— On se mettra quand même pas à jouer à la bataille!

— Tititte, tu m'énerves!

— Est-tu drôle? C'est-tu une femme drôle?»

Maria, exaspérée, raccroche après des au revoir plutôt succincts.

Tititte l'énerve de plus en plus avec ses grands airs. Surtout depuis ces derniers mois. Quelque chose a dû se passer dans sa vie qui lui a monté à la tête, parce que plus que jamais elle regarde ses deux sœurs de haut. Elle s'est toujours sentie supérieure parce qu'elle vend des gants de *kid* dans un magasin chic alors que Teena vend des souliers à des pauvres qui ne sentent pas toujours bon des pieds et qu'elle-même a servi des soûlons une grande partie de sa vie dans un endroit peu respectable, mais il faudrait qu'elle en revienne un jour!

Ne pas s'emporter. Ça ne sert à rien. Prendre de grandes respirations.

Bon.

Pour passer le temps elle va rappeler la belle-mère de sa fille, vérifier que tout est correct pour le lundi suivant…

D'habitude elles se rendent directement à la cuisine, s'attablent en vitesse et se jettent dans la partie. Pas de temps à perdre. Elles sortent leurs sous, les cartes, pigent dans les plats de bonbons, elles commencent même à s'invectiver en passant la première levée – *Ma mautadite, m'as t'avoir, cette semaine!, Tu penses ça, toi, c'est moi qui vas te laver!* – et regardent avec gourmandise la main qu'on vient de leur donner.

Cette fois cependant, à cause de la visite rare et voulant faire bonne figure, Maria suggère à ses trois invitées de passer au salon. Ses sœurs froncent les sourcils; on est là pour jouer aux cartes, pas pour jaser au-dessus d'une tasse de thé. Du thé il y en a, et des biscuits secs, mais la conversation se fait pénible. Après la pluie, le beau temps, les enfants, le travail, un silence pesant tombe sur la pièce.

Victoire regarde autour d'elle. Qu'est-ce qu'elle ne donnerait pas pour vivre dans un appartement comme celui-là. Avec de grandes fenêtres qui donnent sur la rue, qui reçoivent la lumière du soleil, pas des soupiraux par où on n'aperçoit que les pieds des passants. Surplomber les bancs de neige, l'hiver, et regarder les enfants y jouer, plutôt que d'être ensevelie sous eux pendant des mois, enterrée vivante.

Elle ne semble pas se rendre compte que la conversation languit, elle est perdue dans ses pensées. Les trois autres se regardent, se raclent la gorge, se tortillent dans leur fauteuil.

Quand Maria suggère qu'on se rende à la cuisine, ses deux sœurs se lèvent d'un seul élan. Victoire reste assise. Puis semble se réveiller en sursaut.

« Excusez-moé, j'étais dans la lune. En fait, j'étais rendue ben loin. C'est pas poli, je le sais. Mais je sors tellement pas souvent de chez nous que tout ce que je vois me surprend... »

Télesphore dormait lorsqu'elle a quitté l'appartement de la ruelle des Fortifications. Quant à Édouard, Dieu seul sait où il peut être, il est de plus en plus absent, il a cessé de se confier à elle, il change, il se transforme en un homme qu'elle ne connaît pas.

Personne ne sait donc qu'elle est partie et elle en ressent une espèce de satisfaction, un peu comme si elle se rendait coupable d'une infraction, vénielle, sans conséquence, mais excitante. S'il y avait une urgence, si un des résidents venait sonner, il n'y aurait personne pour lui répondre. Elle sourit. Qu'ils s'arrangent avec leurs troubles.

Des photos sur les murs, une grosse fournaise à charbon, un tapis bien entretenu sur le plancher, même le corridor qui mène aux chambres et à la cuisine est agréable.

La nappe a été retirée, un jeu de cartes tout neuf trône au milieu de la table de la cuisine, deux plats de sucreries – les jujubes dont raffole Teena, des bonbons clairs, surtout des rouges, à la cerise, pour Tititte – les attendent et ça sent bon le gâteau qui refroidit. Après la partie – et les bonbons – on va le découper en tranches pas trop fines qu'on va tremper dans le thé ou le café selon ses goûts. Les jeux seront faits alors, on saura si Maria a pris sa revanche ou si Teena, une fois de plus, aura su déjouer les autres et partir avec le *jackpot* – maigrelet, mais tout de même, une victoire est une victoire. Quant à la nouvelle venue, on se propose de n'en faire qu'une bouchée. Ce qui sera plutôt facile d'après ce qu'elle vient de dire :

« Ça fait des années que j'ai pas joué aux cartes. J's'rai pas dure à battre. »

Elles sont déçues. Elles auraient adoré écraser une rivale digne d'elles. Et ce qu'ajoute Victoire finit de les achever :

« J'espère que vous jouez pas à l'argent, j'ai à peu près rien emporté… J'aurais dû m'informer, j'y ai pas pensé. »

Maria a regardé ses sœurs.

Que faire ? Elles ont *toujours* joué à l'argent. Des sommes dérisoires, c'est vrai, de la petite monnaie, des fonds de portefeuille, mais de l'argent c'est de l'argent, jouer pour en gagner est tout de même plus excitant que se battre pour rien !

Puis lui vient la pensée que Victoire, qu'elle sait pauvre, n'a peut-être pas d'argent à mettre sur une partie de cartes, même pas de la menue monnaie. N'a-t-elle pas dit en arrivant qu'elle était venue à pied ? Parce qu'il faisait doux, alors que c'est un peu frisquet…

Elle fait signe à ses sœurs de se taire.

« Non, non, on joue pas à l'argent. On joue juste pour le fun. Pour passer le temps. Pour passer une soirée agréable en jasant. En fait, jaser est plus important pour nous autres que de jouer… »

Tititte et Teena s'attablent donc en soupirant. *Maudite menteuse. Comme si tu te battais pas comme un diable dans l'eau bénite toutes les semaines pour essayer de nous humilier !*

Victoire est intelligente. Elle apprend vite. Après deux ou trois levées de ce que les sœurs Desrosiers appellent le *huit*, elle a tout compris – les huit et les valets frimés –, se trompe peu et se montre même excellente stratège. L'atmosphère dans la cuisine est pourtant différente. D'habitude les invectives, les protestations, les insultes commencent tôt, dans les rires et à grands coups de tapes sur la table. Teena s'insurge, Tititte joue les outragées, Maria sacre. (Quand Nana venait encore jouer avec elles, elle s'amusait plus à les regarder faire qu'à essayer de marquer des points.) Ce soir, cependant, elles se retiennent à cause de la présence de Victoire – elles ne veulent pas passer pour des mal embouchées – et leur réunion hebdomadaire s'annonce plutôt morne. Ce sera sans doute une excellente partie de cartes, mais de celles qu'on s'empresse d'oublier parce qu'il ne s'y est rien passé d'intéressant. Surtout que cette fois elles ne jouent pas pour de l'argent.

Quand Victoire commence à parler, tout bas, comme si elle s'adressait à elle-même, les sœurs Desrosiers n'y portent d'abord pas attention. Elles croient qu'elle pense tout haut, qu'elle commente la partie, elles espèrent même qu'elle sera la première à lancer un gros mot, ce qui leur permettrait d'exploser comme elles en ont le goût en insultes et en injures. *On est là pour ça, non, pour avoir du fun, pas pour jouer aux cartes sérieusement!* Toutefois, lorsqu'elles l'entendent prononcer le nom de son mari elles se rendent compte qu'il est question de tout autre chose, que ce murmure à peine audible est plus important, en tout cas plus lourd de sens, qu'une simple réflexion au sujet d'une partie de cartes. Après s'être lancé des regards interrogatifs, elles tendent l'oreille, se doutant qu'un événement inattendu et grave est en train de se produire.

Victoire ne comprend pas ce qui se passe. Elle s'entend parler, se dit qu'elle devrait arrêter, que ses propos sont déplacés, que ses problèmes ne concernent pas les trois femmes qui sont attablées avec elle, mais elle est incapable de se taire. L'autre jour, le fameux dimanche après-midi, elle s'est vidé le cœur devant Télesphore avec une espèce de joie mauvaise qui lui a fait grand bien, mais là, avec un valet et deux as dans la main, au lieu de se réjouir de la petite réussite qu'elle peut se réserver si elle joue bien, elle laisse couler en murmures incohérents les secrets qu'elle porte depuis toujours comme autant de fardeaux dont il est impératif qu'elle se débarrasse, elle exprime l'indicible, elle nomme l'innommable. Elle parle, mais quand même à mots couverts, la pudeur l'empêche d'être claire, de Josaphat, de Gabriel, d'Albertine, en espérant que les sœurs Desrosiers ne comprendront pas tout à fait ce que ça signifie, elle raconte de façon plus précise son départ de Duhamel, son arrivée à Montréal, son mariage avec Télesphore, d'abord si droit, si honnête, et ce que la boisson a fait de lui lorsqu'il s'est rendu compte qu'elle ne l'aimerait jamais. (Y aurait-il d'autres raisons qu'elle ignore ? Elle ne lui a jamais posé la question.) De sa chute précipitée de traducteur respecté à l'hôtel de ville de Montréal à correcteur d'épreuves dans une petite maison d'édition puis à concierge dans un immeuble décrépit de la vieille ville. Du moment, elle en a été témoin, où il a abandonné tout espoir pour se laisser couler dans le gin Bols et la bière bon marché, lui laissant à elle les pires besognes de son nouveau métier. Et les années de frottage de plancher et de poubelles à entretenir. Elle raconte tout à des femmes qu'elle ne connaît pas, elle qui a toujours été si discrète, ça déborde, c'est irrépressible, elle y mettrait un frein que ça la tuerait, elle en est convaincue. Mais pourquoi cette confession chuchotée, ce flot de mots parfois incompréhensibles, parfois si clairs qu'ils font mal au lieu de soulager ? Pourquoi ce soir ? Qu'est-ce qu'elle en attend ? Une absolution ? Un simple apaisement ? Dans une cuisine qui sent encore le poulet rôti au lieu d'un confessionnal et de la mauvaise haleine d'un prêtre trop jeune pour comprendre ou trop vieux pour pardonner ? Quand elle va arrêter de parler, qu'est-ce qu'elle va faire ? Se lever et partir en courant ? Demander pardon, encore une fois s'excuser d'être vivante ? Mais le soulagement qu'elle commence à ressentir là, à la hauteur du cœur, vaut la peine de tout risquer. Elle se rend compte que son cœur est la seule poubelle qu'elle n'a jamais vidée et les strates de crasse dont elle le débarrasse l'allègent, le réconfortent, le calment et le désintoxiquent. Elle se vide de tous ses poisons devant trois femmes dont elle ignore si elles accepteront de lui parler quand elle aura fini son confiteor. Tant pis. Tant pis pour elles, tant mieux pour elle.

A-t-elle planifié cette confession ? Savait-elle en se rendant chez Maria qu'elle s'épancherait de la sorte, qu'elle laisserait se répandre sur la table de la cuisine, en pleine partie de cartes, ses secrets si longtemps enfouis ? Bien sûr que non. En tout cas pas consciemment. Elle a accepté l'invitation de Maria parce qu'elle a décidé de ne plus rester prisonnière de son appartement, de se défaire une fois pour toutes des liens qui la rattachaient à tout ce qui concernait son mari, elle a marché pendant près d'une heure pour se rendre sur la rue Montcalm en se sentant légère, presque libre, elle se réjouissait à l'idée de rencontrer du monde, de jaser de tout et de rien, de rire, peut-être, aussi cet épanchement soudain, imprévu, l'a-t-elle surprise autant que les trois femmes qui en sont témoins. Elle s'est écoutée parler, elle a observé en action, comme à l'extérieur d'elle-même, ce besoin irrésistible de dire, elle se disait *je sais qu'il faudrait que j'arrête, mais j'en suis incapable*, elle a suivi la partie de cartes, elle s'est vue jouer, ses mains qui jetaient des atouts, qui ramassaient ou non des levées, elle a été l'observatrice de son monologue autant que celle qui l'égrenait à mi-voix.

Pendant tout ce temps la partie a continué. Sans les commentaires habituels. Dans une espèce de silence respectueux.

Les sœurs Desrosiers savaient que lorsque Victoire aurait terminé son discours incohérent mais pourtant si clair, elles ne diraient rien. Qu'elles feraient comme si de rien n'était. Comme si rien ne s'était passé. Elles n'auraient pas pu l'exprimer en mots, elles comprenaient cependant le besoin de cette femme de faire ce soliloque, là, ce soir-là, devant des gens qu'elle connaissait peu. Parce que ça ne portait pas à conséquence. Parce que les confidences faites entre femmes restent entre elles. Et qu'elles ne la jugeraient pas.

Aussitôt son soliloque terminé, Victoire pose ses cartes sur la table et demande à Maria d'appeler un taxi. Au diable la dépense.

Et elle ne dit qu'une chose avant de quitter la cuisine pour se diriger vers la sortie :

« Merci de m'avoir écoutée. »

Les larmes qu'elle verse dans la voiture sont autant de soulagement que de culpabilité. Elle s'en veut de s'être laissée aller devant des étrangères, sans retenue, sans pudeur, tout en savourant, pour la deuxième fois en si peu de temps, la légèreté dans son cœur, cette espèce d'amnistie, aussi, qu'elle vient de s'octroyer. Elle a été à la fois le confesseur et le confessé, et s'entendre dire à voix haute ce que d'autres auraient considéré comme des péchés impardonnables lui fait un bien immense.

Quant aux sœurs Desrosiers, elles ne disent pas un seul mot au sujet de ce qui vient de se passer. Elles qui critiquent toujours tout, qui passent des commentaires sur n'importe quoi, elles choisissent d'oublier cette soirée tout en décrétant que la partie a été bien plate. Une soirée complète est effacée de leur vie et elles n'y reviendront jamais.

Édouard remonte la rue Fabre presque en courant.

Plus tôt Ti-Lou lui a dit au téléphone – sur un ton enjoué pour une fois – de se dépêcher de venir la voir, qu'elle avait une grosse surprise pour lui, qu'il n'en reviendrait pas, qu'elle-même en était encore tout étourdie. Il a voulu savoir ce que c'était – ces intonations passionnées étaient pour lui aussi inquiétantes que les jérémiades qu'elle lui servait depuis quelque temps –, elle a bien sûr refusé en lui disant de courir sans faute la rejoindre aussitôt sa journée de travail terminée. Il a demandé à quitter le magasin de chaussures une demi-heure plus tôt, mademoiselle Desrosiers a accepté sans rechigner. Autre sujet d'étonnement.

Il trouve d'ailleurs que sa patronne a changé d'attitude à son égard depuis le début de la semaine. Il a l'impression qu'elle le regarde d'une façon différente, comme si elle avait appris ou deviné quelque chose de troublant ou de choquant à son sujet. Elle est plus… protectrice ? Est-ce le bon mot ? Elle le gronde moins quand il s'impatiente avec les clients, elle ne passe plus derrière lui lorsqu'il quitte la caisse après avoir fait une vente, elle l'a même emmené manger chez Larivière et Leblanc, un midi, alors qu'elle refuse toujours de fermer la boutique à l'heure du lunch au cas où des clients se présenteraient. Après tout, il lui est peut-être arrivé un événement qui aura transformé sa vie au point de changer sa façon d'agir avec les autres. Surtout lui. A-t-elle rencontré quelqu'un ? Ce serait formidable. Est-ce qu'on peut encore rencontrer quelqu'un quand on passe soixante ans ? Elle a bien parlé de la visite de son fils soldat qu'elle n'avait pas vu depuis longtemps (il a cru qu'elle était veuve et qu'elle n'en avait jamais parlé, surtout qu'elle se faisait appeler *mademoiselle* Desrosiers depuis qu'il travaillait sous sa direction), mais c'était il y a quelques semaines et ça ne l'avait pas du tout changée. Il a essayé de la faire parler, en vain. Il faut dire qu'il n'a pas été très subtil – il ne l'est jamais –, qu'elle a vite lu dans son jeu et qu'elle a écarté ses questions comme on se débarrasse d'une mouche achalante. À un moment donné elle a même esquissé sans s'en rendre compte le geste d'éloigner un insecte, un mouvement d'impatience qui lui a échappé et qui a fait comprendre à Édouard qu'il ne servait à rien d'insister, qu'elle était trop intelligente pour qu'il réussisse à la piéger. Le mystère reste entier. Il profite cependant avec plaisir des nouvelles dispositions de sa patronne à son égard.

Il patauge dans la pluie de ce début d'automne qui s'est jusque-là montré clément et qui semble se rappeler qu'octobre est tout proche, que c'est bien beau les couleurs, les arbres qui flambent, les ciels bleu ardoise, mais qu'il faut passer aux choses sérieuses. En commençant par cette pluie, abondante et froide, qui tombe presque sans arrêt depuis la veille. Plus de nostalgie de l'été, il y a un hiver à préparer. Septembre a été en dents de scie : chaud, froid, chaud, froid, c'est énervant.

Les enfants rentrent de l'école, sac au dos et le nez dans le col de leur manteau. Certains pataugent dans l'eau déjà sale, d'autres évitent soigneusement les flaques pour ne pas mouiller leurs souliers qui ne sont pas de saison.

Édouard traverse le boulevard Saint-Joseph en louvoyant entre les voitures. Il est trop excité pour attendre que la circulation se calme et se jette – on dirait un chat qui veut traverser une rue en plein trafic – dans la mêlée des automobiles et des voitures à chevaux sous les protestations de plusieurs klaxons et les insultes d'un vendeur de glace qui prétend qu'il a fait peur à son cheval.

Il atterrit de l'autre côté du boulevard sain et sauf, mais essoufflé et tout rouge.

« Ça a besoin d'être une grosse surprise, chus tanné de courir comme un petit chien chaque fois qu'a' m'appelle ! »

Il grimpe les quelques marches qui mènent au balcon de l'appartement de Ti-Lou.

Il sonne une fois, deux fois.

Pas de réponse.

Il met ses mains en visière au-dessus de ses yeux, colle son visage contre la vitre de la porte. Rien ne bouge. Le long corridor est vide. Il tourne la poignée, la porte s'ouvre. Ti-Lou prend pourtant toujours la peine de bien verrouiller…

Elle a peut-être voulu éviter d'avoir à se déplacer pour venir lui ouvrir…

« Madame Ti-Lou ? Vous êtes pas malade, j'espère ! »

La voix provient de l'autre bout de l'appartement :

« Non, non, inquiète-toi pas ! Tout va bien. J'vas être prête dans une minute. Reste dans le passage, va pas dans le salon. Faut que tu restes dans le passage pour ben voir la surprise… »

Édouard s'appuie au chambranle de la porte. Il aurait bien voulu s'asseoir pour reprendre son souffle. Au-dessus d'une tasse de thé fort. Et d'un de ces gâteaux dont Ti-Lou sait qu'il raffole. Elle les gave tous les deux de sucreries lorsqu'il lui rend visite, malgré son diabète à elle et son obésité naissante à lui.

En regardant autour de lui il se rend compte qu'un changement s'est produit dans l'appartement. Il ne saurait dire quoi cependant. Il fronce les sourcils, jette un coup d'œil dans le salon, à sa gauche. Qu'est-ce que c'est? Une précision dans les objets, peut-être, comme s'ils étaient plus présents, plus visibles que d'habitude. La lumière! C'est ça, la lumière a changé. En fait, *il y a* de la lumière! L'appartement n'est pas plongé dans la demi-obscurité comme il l'a toujours connu. Il n'a pas besoin de plisser les yeux pour voir. Ti-Lou a dû ouvrir les rideaux du salon, chose étonnante puisqu'elle a décidé depuis longtemps de vivre dans la pénombre pour ne plus être témoin de sa déchéance physique. Même Maurice, qu'elle a tant aimé, ne l'a sans doute jamais vue en plein jour.

«Es-tu prêt? Mets-toi ben dans le milieu du passage, j'arrive!»

Il ne comprend pas tout de suite. Elle est là, à l'autre bout du corridor, auréolée par la lumière du coucher de soleil – les rideaux de la fenêtre de la cuisine ont donc été ouverts –, aussi belle que d'habitude, elle lui sourit, mains sur les hanches. Il sait qu'une bouffée de gardénia va le renverser d'une seconde à l'autre et qu'une fois de plus il aura envie de se jeter à ses pieds. Comme toujours.

«Qu'est-ce que t'en penses?»

Qu'est-ce qu'il pense de quoi? Quelque chose a changé chez elle aussi? Mais quoi? Il sent qu'il devrait crier, sauter, applaudir et même éclater de rire en se tapant sur les cuisses, c'est ce qu'elle attend de lui. Il voudrait bien lui faire plaisir, mais il ne comprend pas ce qui se passe!

C'est quand elle bouge, lorsqu'elle se met à *marcher* vers lui qu'il comprend.

Elle a deux jambes! Ti-Lou a deux jambes!

Elle boite, elle titube, elle doit même à un moment donné s'appuyer de la main contre le mur, mais elle marche!

Alors il crie, il éclate de rire, il saute, il applaudit.

Ti-Lou s'était réveillée un matin avec une nouvelle sorte de frustration. C'était une frustration mêlée de fureur. Une boule de feu lui rongeait les intérieurs, lui donnait envie de tout casser dans la maison, elle qui, avec les années, avait fini par accepter son état à force de volonté et de contrôle de soi. En fait elle s'était résignée à son sort par petits bouts, par petites touches, par petites redditions, plus qu'hier, moins que demain, *ça sert à rien de se révolter, tout ça est définitif, on peut pas y revenir, faut s'y faire*, en restant de plus en plus enfermée dans le cocon qu'elle s'était tissé, entourée de pénombre et une perpétuelle envie de pleurer lui barbouillant le cœur. Des capitulations qu'elle se reprochait mais nécessaires, elle avait fini par s'en convaincre, si elle voulait survivre. Ce matin-là cependant, sans réfléchir, une furie qui se déchaîne, elle s'était jetée sur ses béquilles, avait fait le tour de l'appartement en arrachant presque les rideaux des fenêtres pour laisser entrer la lumière. Elle ne savait pas pourquoi elle le faisait, elle n'y avait pas encore pensé, c'était impérieux, irrépressible, ça mettait fin, elle le sentait jusque dans ses os, à une trop longue période de sa vie et elle en tirait un incompréhensible plaisir.

Après, elle s'était installée dans son fauteuil favori, le seul îlot de lumière qu'elle se réservait depuis quatre ans pour lire, avec son ampoule cent watts qui éclairait ses genoux, ses mains, son livre, et elle avait regardé les atomes de poussière voleter dans l'air du salon. Le soleil du matin prêtait aux objets pourtant familiers une nouvelle dimension, les détachait les uns des autres, donnait une vie propre à chacun, ils ne faisaient plus partie d'un tout flou, ils avaient désormais une personnalité. Elle pouvait les voir sans plisser les yeux, ils la surprenaient avec leur coloris vif, les angelots de porcelaine qu'elle avait trouvés ravissants quand elle les avait achetés et qu'elle n'avait plus revus réfléchir la lumière, les marines accrochées aux murs avec leurs ciels bleus et leurs eaux vertes estompées depuis si longtemps au point de paraître uniformément grises, les lampes de cuivre rarement allumées.

Ces miroitements et ces rutilances avaient éteint sa fureur d'un seul coup. À moins que le soulagement qu'elle ressentait ne soit venu de la colère par laquelle elle venait de se laisser emporter. C'était sans doute le déchaînement le plus court qu'elle avait jamais connu. Et un des plus allégeants.

D'où lui était venu ce besoin de s'ébrouer, de hennir, de secouer sa torpeur ? Un rêve qu'elle avait fait durant la nuit ? En tout cas, elle n'en gardait aucun souvenir. Elle s'était réveillée ce matin-là avec une énergie qu'elle ne s'était pas connue depuis des années, elle n'allait pas perdre de temps à en chercher l'origine.

Une chose était sûre : elle ne voulait plus voir ses maudites béquilles !

Elle avait deux options : le fauteuil roulant qu'elle a tout de suite éliminé, ça sentait la résignation définitive, ça attirait la pitié, elle ne voulait pas de la pitié des autres, ou la jambe de bois dont lui parlait son docteur depuis quelque temps. Une prothèse au lieu de deux. Une adaptation difficile, elle s'en doutait, la raideur des premiers temps, l'inévitable boitillement, elle qui avait toujours eu la démarche impériale, mais c'était quand même moins humiliant que les béquilles qu'elle traînait avec elle depuis des années et qu'elle avait prises en horreur.

Si la grande Sarah Bernhardt était montée sur la scène avec sa jambe de bois pour jouer *L'Aiglon*, Ti-Lou arriverait bien à se débrouiller avec la sienne !

« J'en reviens pas !

— Moi non plus, j'en reviens pas. »

Pour une fois c'est Édouard qui a préparé le thé. Un cabaret de bois, la théière, deux tasses, des biscuits secs, une course vers le salon où l'attendait Ti-Lou, debout devant la fenêtre. Sur ses deux jambes.

« Ça fait longtemps que vous l'avez ?

— Quequ'jours, mais je voulais attendre de m'être habituée avant de t'appeler.

— Ça fait-tu mal ?

— Au commencement c'était inconfortable. Les premières fois que je l'ai essayée j'avais toujours l'impression que j'allais tomber, j'faisais trois pas pis j'étais obligée de m'arrêter. J'avais la démarche trop raide, aussi, j'aimais pas ça. Mais à force de la porter… J'dis pas que ma démarche est naturelle, elle le sera jamais, mais j'me sens plus souple, à c't'heure, plus à mon aise…

— Qu'est-ce qui vous a décidée… Vous étiez tellement contre…

— J'étais pas contre, Édouard, j'avais peur. De pas pouvoir m'habituer, justement. Pis à quoi ça sert d'avoir une jambe de bois si tu restes enfermée chez vous?

— Ça pis la lumière partout dans la maison, ça veut-tu dire que vous voulez pus rester enfermée dans la maison?

— J'en pouvais pus. C'est ben beau de se gratter le bobo, mais quand ça fait des années…

— Depuis le temps que je vous le dis…

— Pas juste toi, mon docteur aussi. Ça fait des années qu'y me dit que ça me ferait du bien…

— Vous allez pouvoir faire d'autre chose que vos commissions…

— Oui, c'est un peu pour ça que j't'ai appelé… J'ai quequ'chose à te demander. »

Elle a fait sa toilette, elle a mis ses plus beaux atours – un peu chic, trop grande dame pour cette matinée de début de semaine – et elle a appelé un taxi. Elle se souvenait vaguement d'une boutique, rue Saint-Denis, dont la vitrine la faisait toujours frémir lorsqu'elle passait devant. À cause de ce qu'elle contenait, bien sûr, mais surtout parce qu'elle savait qu'elle aurait sans doute à visiter cet établissement un jour ou l'autre. Elle avait toutefois oublié à quelle hauteur elle se situait. Rachel? Marie-Anne? Gilford? Elle a demandé au chauffeur de taxi de descendre la rue Saint-Denis lentement. Ah, voilà, Prothèses Maranda. Le chauffeur l'a aidée à descendre du taxi. Il faisait une chaleur collante, Ti-Lou était en sueur lorsqu'elle s'était dirigée vers la vitrine. Tout ce qu'elle contenait était laid, un peu inquiétant, presque menaçant. Le fauteuil roulant trop gros qui devait peser une tonne, les différentes prothèses qui faisaient penser à des morceaux de corps découpés exposés là pour faire peur aux passants, des bras, articulés ou non, des jambes, bois et métal, peintes couleur chair pour faire plus naturel mais qui ne faisaient pas illusion, des appareils dont elle ignorait l'utilité et qui ressemblaient à des instruments de torture. Et ces bandages beige, quelles blessures, quelles plaies, quelles tares servaient-ils à cacher ?

Monsieur Maranda a été formidable. Il s'est personnellement occupé d'elle, lui présentant avec grande délicatesse les différentes sortes de jambes de bois, vantant leurs qualités et soulignant leurs défauts lorsqu'elles en avaient, la prévenant qu'ils auraient à prendre des mesures à un endroit plutôt gênant de son anatomie, à faire des ajustements, que le tout devrait être ensuite vérifié et accepté par son docteur personnel. Et que la période d'adaptation ne serait sans doute pas facile.

Elle a failli à plusieurs reprises reprendre ses béquilles et se sauver le plus vite possible. Trop vieille. Trop fatiguée. *À quoi ça sert, je m'y habituerai jamais…* Monsieur Maranda – l'expérience – l'a senti et s'est fait encore plus délicat et compréhensif.

Lorsqu'elle a essayé une prothèse pour la première fois et que monsieur Maranda l'a aidée à se mettre debout sur deux jambes, sans l'aide de ses béquilles, les bras libres de faire des mouvements et le corps bien droit plutôt qu'accroupi – elle disait souvent qu'elle avait l'air d'une grenouille infirme avec ses béquilles –, elle a éclaté en sanglots.

« Si vous êtes un peu étourdie, c'est normal…

— Chus pas étourdie, j'sais pus quoi faire avec mes bras! J'ai peur de pus jamais être naturelle avec mes bras!

— Ça va revenir…

— Vous comprenez pas. J'avais… j'avais tout un répertoire de gestes avec mes bras, je pouvais faire tellement de belles choses…

— Vous étiez danseuse?»

Elle l'a regardé droit dans les yeux, puis a esquissé un geste d'une grande élégance avant de lui tendre la main.

«On n'a pas besoin d'être danseuse pour être gracieuse.»

«Avez-vous commencé à sortir un peu?

— J'me sus promenée dans le quartier, j'ai été faire ma commande chez Provost. Monsieur Provost a failli perdre sans connaissance quand y m'a vue arriver! Y m'a même donné un steak pour fêter ça.

— Pourquoi vous êtes pas venue nous voir au magasin?

— J'voulais d'abord te faire la surprise à toi. Pis je voulais te demander une chose, c'est pour ça que je t'ai demandé de venir ici.»

La nuit est tombée pendant que Ti-Lou racontait l'achat de la jambe de bois, les nombreux essais qu'il a fallu faire avant qu'elle s'y sente à l'aise, les exercices que lui avait conseillés monsieur Maranda – marcher de plus en plus rapidement, d'abord dans la maison, puis sur le trottoir devant chez elle, par exemple – avant de se lancer pour de bon dans la foule des passants, le vertige, au tout début, de se sentir les bras libres sans le secours des béquilles si jamais elle perdait l'équilibre, l'assurance acquise à force de volonté, l'après-midi, enfin, où elle a osé s'aventurer jusqu'à la rue Mont-Royal. Sa première autonomie de mouvement depuis plus de quatre ans.

« Chus passée devant le magasin de chaussures, mais vous m'avez pas vue…

— Vous auriez dû venir nous voir. Mademoiselle Desrosiers aurait été tellement contente…

— Dans le temps comme dans le temps. En attendant… Je sais pas comment te dire ça…

— Vous savez que vous pouvez tout me dire, madame Ti-Lou.

— Écoute. Tu me parles du Paradise depuis des années… Tu sais que je connais pas tellement ça, les clubs de nuit, j'ai été enfermée une grande partie de ma vie…

— Vous m'avez dit que vous avez fréquenté les plus grands clubs de nuit d'Ottawa pis même ici, à Montréal…

— Oui, mais pas pour m'amuser. J'travaillais, Édouard, je jouais un rôle, j'pouvais jamais me laisser aller…

— J'vous vois venir, madame Ti-Lou. Le Paradise est pas un endroit pour vous.

— Pourquoi tu dis ça ?

— Vous le savez…

— T'es quand même pas gêné de me présenter tes amis !

— Vous savez qui c'est, mes amis.

— Pis ? J'ai envie d'avoir du fun, Édouard ! Pis d'après ce que tu me dis, vous en avez en masse au Paradise !

— J'aurais peur que… je sais pas…

— Que je les juge ? Tu devrais te douter que j'en ai vu de toutes les sortes, hein ? Au Château Laurier, pis à ma maison de la rue Roberts que j'ai pas gardée longtemps parce que la vie de banlieue m'ennuyait. Y a pus rien qui peut me surprendre chez les hommes, Édouard, si tu savais, même pas vous autres. Même si j'en ai pas connu beaucoup des comme toi...

— Vous êtes... vous êtes trop chic, vous êtes trop belle, madame Ti-Lou.

— Voyons donc ! As-tu vu les actrices dans les films ? Ça c'est du monde chic ! Édouard, réveille-toi ! Chus juste une vieille guidoune qui vient de se payer une jambe de bois pis qui veut avoir du fun pendant qu'y est encore temps ! Arrête de me prendre pour ce que chus pas ! On va aller au Paradise, tu vas me présenter tes amis, pis on va se faire du fun !

— J's'rais pas à l'aise...

— Écoute... J'ai pensé à une chose... Depuis le temps que tu rêves de te déguiser en femme pis que t'oses pas... J'vas t'aider, Édouard. J'vas te déguiser en moi ! J'vas te déguiser en louve d'Ottawa ! Comme j'ai pris du poids, j'ai des robes qui vont te faire...

— J's'r'ais encore plus mal à l'aise.

— Tu vas être déguisé, Édouard ! Tu vas être caché en dessous d'un costume ! Tu vas être un personnage !

— La duchesse de Langeais...

— La duchesse de Langeais, la louve d'Ottawa ou ben n'importe qui d'autre ! Celle que tu voudras ! »

Édouard hésite encore. Le déguisement ! La duchesse de Langeais ! Le grand saut ! Aura-t-il le courage de faire le grand saut ?

Ti-Lou a gardé un atout pour la fin.

Elle se lève, vient s'installer à côté d'Édouard sur le sofa, lui prend la main.

«Y me reste de la crème à mains Gardénia. Tu vas sentir comme moi, Édouard!»

Juste comme Édouard sort de l'appartement de Ti-Lou, il se remet à pleuvoir. Une pluie abondante et drue, on dirait une ondée de printemps. Il se lève sur le bout des pieds en regardant à sa gauche. Pas d'autobus en vue. Il remonte sur le perron pour se mettre à l'abri. Quand il va voir venir un autobus, il va courir jusqu'à l'angle de la rue Fabre...

Il s'assoit dans la chaise berçante que Ti-Lou n'a pas encore pris la peine de rentrer.

C'est pour vendredi prochain. Et il est déjà mort de trac.

Au Paradise on rit, on parle beaucoup, on raconte des anecdotes sans queue ni tête dont tout le monde sait qu'elles sont inventées et qu'on fait semblant de croire, on prend des voix de femmes pour donner du poids aux jeux de mots ou aux vacheries, on se parle au féminin parce que c'est drôle, mais on ne passe pas à l'action, c'est-à-dire qu'Édouard n'a jamais vu la Vaillancourt ou la Rolande Saint-Germain habillés en femme et que lui-même, malgré ce qu'il en dit, n'a pas encore osé le faire.

Des gros parleux et des petits faiseux, voilà ce qu'ils sont. Ils le savent et n'en parlent pas, de peur, sans doute, que quelqu'un leur lance un défi et les oblige à sauter le pas : en effet, très peu d'entre eux feraient de belles femmes, ils en ont conscience et préfèrent continuer à rêver plutôt que risquer de se retrouver déçus devant ce que leur renverrait leur miroir s'ils osaient se travestir. Rêver d'être une belle femme, soit, pleurer de dépit devant le piètre résultat, non.

Alors pourquoi avoir accepté l'offre de Ti-Lou? Parce qu'il est temps qu'il se décide? Édouard est loin d'en être convaincu. La duchesse de Langeais le hante depuis longtemps, c'est vrai, il rêve sans cesse d'être elle, il peaufine son accent français – encore boiteux –, il mime les gestes d'une grande dame, il fait rire tout le monde avec des reparties assassines, il a emprunté le nom – tout le monde l'appelle désormais duchesse – et la voix mouillée de la femme du monde – en essayant d'imiter celle de Gaby Morlay, une de ses actrices favorites –, il reste cependant un homme, un comique de taverne. La femme, *l'incarnation* de la femme, n'est pas encore accomplie et ce qu'il aura à faire le vendredi suivant le terrorise.

L'autobus approche. Il court, fait de grands gestes parce qu'il n'y a personne à l'arrêt et que le chauffeur risque de passer tout droit, s'engouffre dans le véhicule en soufflant, remercie, paie sa place.

Il s'installe dans le dernier banc, tout au fond, appuie la tête contre la vitre. Il a envie de pleurer. Un peu parce qu'il se réjouit que quelqu'un comme Ti-Lou veuille s'occuper de lui, beaucoup parce qu'il a peur du résultat. Madame Ti-Lou lui a promis qu'elle s'occuperait de tout, qu'il n'aurait qu'à se laisser faire, qu'elle connaissait tous les trucs, tous les subterfuges, qu'il serait superbe et qu'il mettrait tout le monde sur le cul, pourtant il n'en croit pas un mot. Il mettra peut-être tout le monde sur le cul, pour avoir osé, pour être le premier à le faire, mais il ne sera sûrement pas superbe. Il connaît son physique, il sait très bien qu'il ne sera qu'une caricature. Une chose informe, boudinée, déguisée en louve d'Ottawa. Après tout, n'est-ce pas ce qu'il est, ce qu'il cultive depuis quatre ans, depuis sa première visite au Paradise? La caricature. Pourquoi rêver d'avoir l'air d'une vraie femme si tout ce qu'il lui fait dire et faire est caricatural? Pourquoi ne pas miser là-dessus, justement? La duchesse de Langeais, oui, mais une duchesse de Langeais plus grande que nature – plus grosse, dans son cas –, un costume, une façade, un personnage qui lui permettrait d'exprimer, dans le rire, pour le fun, tout ce qu'il transporte avec lui de triste, de frustrant, de malheureux! Déculotter ceux qui le méritent, les ridiculiser, distribuer en riant taloches et insultes. N'est-ce pas ce qu'il fait déjà de toute façon? La duchesse de Langeais, la sienne, sa création, lui permettra peut-être d'aller plus loin, de creuser plus profondément, de devenir… quoi? La terreur de la Main?

Il redresse la tête. La terreur de la Main! Quelle belle idée!

La salle des pas perdus de la gare Windsor lui a rappelé Nana à son arrivée à Montréal il y a plus de vingt ans. La fillette maigrichonne dans son manteau neuf trop grand pour elle. Et cette lueur de déception dans les yeux que Maria ne s'est jamais expliquée. De quoi sa fille avait-elle été déçue? De la présence d'un nouveau petit frère qui allait capter toute l'attention de leur mère qu'elle aurait voulu garder pour elle toute seule? De son vieillissement à elle après tant d'années de séparation? Nana avait laissé à Providence une mère jeune et énergique pour retrouver à Montréal une femme usée et épuisée par un travail pénible dans une manufacture de coton. Le changement physique avait-il été assez important pour la décevoir au point de le laisser paraître? Elle n'avait toutefois pas rechigné devant la tâche de garder son frère chaque soir pendant que Maria allait travailler au Paradise, elle n'en avait même jamais parlé, se contentant de rapporter à sa mère ce qui s'était passé – ou non – pendant son absence. Elle allait à l'école le jour et devenait la gardienne de Théo le soir sans se plaindre. Et Maria ne lui avait jamais demandé si ça faisait son affaire ou si elle s'en trouvait frustrée. Maria avait laissé chaque soir une enfant de douze ans garder un bébé sans se poser de questions. Parce que ça faisait son affaire.

Mais à quoi bon ressasser ces vieilles choses, ils sont en vacances. Ce n'est pas le moment de se demander si elle a été égoïste ou non…

Elle retire son chapeau, ses gants, prend une cigarette dans son sac.

Le convoi s'ébranle enfin par petites secousses après le coup de sifflet et le *All aboard!* du chef de train. La locomotive lance son cri de détresse, une boucane blanche cache le quai pendant de longues secondes, on se croirait dans les nuages. Elle a voulu ouvrir la fenêtre, Fulgence lui a conseillé d'attendre qu'ils aient atteint la rive sud et que le train ait pris sa vitesse de croisière.

Fulgence a bien fait les choses. Ils sont installés en première classe et vont manger, plus tard, un excellent repas dans le wagon-restaurant. À la hauteur de Drummondville, semble-t-il. Ils mettront une partie de la journée pour se rendre à Québec. Ils y seront pour le souper et Fulgence a réservé une table au café Buade que connaît bien Ti-Lou qui l'a conseillé à Maria quand celle-ci lui a téléphoné pour s'informer des choses à voir à Québec. (Ti-Lou a beaucoup fréquenté Québec dans ses années de gloire.) Alors pourquoi cette sensation de manque au niveau de sa poitrine, cette insatisfaction qui la tiraille depuis qu'ils ont quitté l'appartement de la rue Montcalm? Elle voulait s'éloigner de Montréal, ils le font, que demander de plus? *Jamais contente! Chus jamais contente! Chus jamais contente!*

Le train traverse le pont Victoria, un enchevêtrement de poutres de fer qu'elle a toujours trouvé un peu inquiétant, comme si tant de métal était trop lourd pour enjamber un fleuve aussi large que le Saint-Laurent et qu'il risquait de tomber dans l'eau à tout moment. Le bruit et les vibrations sont inquiétants, il y a trop de voitures, on voit trop d'eau… Vivement l'autre rive !

Lorsque le train amorce une longue courbe vers la gauche en direction de Québec, Maria regarde la silhouette de Montréal se profiler sur le ciel uniformément bleu de cette belle journée de la fin septembre. Le mont Royal flambe au beau milieu de la ville, il est couvert d'ors, de rouges, de jaunes. Ce sera sans doute encore plus beau à Québec, située au nord de Montréal, donc plus tôt touchée par les magnifiques effets du gel. Elle devrait avoir hâte, sentir de l'excitation, être secouée d'expectative, elle est en voyage, le train est en marche, Québec, une des plus belles villes qui soient et qu'elle a toujours voulu visiter, est au bout de la route… Elle prend de grandes respirations. *Sois contente, s'il te plaît, sois contente !*

Fulgence lui a pris la main. Il va lui poser la question, elle le sent.

« T'es contente ? On est partis ! »

Avec sa main libre elle porte sa cigarette à sa bouche.

« Ben sûr que chus contente ! Tu parles d'une question ! »

Nappe brodée, serviettes de table empesées, ballons pour le vin rouge, coupes pour le blanc, nourriture décente – même si le filet mignon n'en est pas un et baigne dans son sang –, service impeccable, panorama enchanteur – les ors, les rouges, les jaunes de plus en plus rutilants à mesure que le train grimpe vers le nord –, alors pourquoi cette boule dans sa poitrine qui l'empêche de respirer de façon normale ? Rien de ce qui l'entoure ne l'impressionne alors qu'elle n'a pourtant jamais mangé dans un salon ambulant richement décoré, elle ne se doutait même pas que ça pouvait exister. Non, ce n'est pas ça, le chandelier de cristal sur chaque table ou les cendriers de cuivre, c'est autre chose qui la tracasse.

Elle regarde Fulgence et se demande s'il se doute de ce qui se passe en elle. Non. Depuis le temps elle a appris à lui cacher ses pensées, à lui jouer la comédie, elle le sait vulnérable et ne voudrait pas lui gâcher sa joie. L'angoisse ne vient donc pas de lui non plus, elle sait à quel point il est ennuyant et l'accepte puisque l'ennui, c'est du moins ce qu'elle pense, vient avec une sorte de calme dont elle a bien besoin. Fulgence la calme depuis des années et le prix à payer est l'ennui qu'il traîne avec lui, voilà tout. Ça et le fait qu'il est après tout le père de Théo.

Quoi alors, qu'est-ce qui fait qu'elle n'arrive pas à se détendre, en particulier cette fois-ci ?

Puis lui revient en mémoire la partie de cartes de l'autre soir, la confession inattendue de la belle-mère de Nana. Des choses dont elle se doutait sont sorties au grand jour – la tristesse enfouie au fond des yeux de cette femme ne pouvait pas ne pas cacher de grands malheurs –, d'autres, plus bouleversantes que tout ce qu'elle a jamais connu, ont explosé en murmures à peine articulés, des choses magnifiques – l'amour est toujours magnifique, même défendu, même hors normes –, d'autres d'une grande laideur mais qui la grandissaient, elle qui les avait vécues et qui les supportait encore. C'est ça. Elle le tient maintenant. Ce n'est pas Fulgence qu'elle aimerait voir attablé devant elle, c'est Victoire. Elle sait que ce ne serait qu'un cataplasme sur une plaie vive, une piètre consolation, mais elle voudrait gâter Victoire pendant toute la fin de semaine qui vient, lui montrer Québec, la gaver de repas trop riches, essayer de la faire rire, la sortir, la sortir de cette maison où elle se trouve enterrée depuis si longtemps. La frapper d'amnésie le temps d'un voyage entre amies. Parce qu'elles pourraient le devenir, Victoire n'avait-elle pas fait les premiers pas en venant se confier ?

Gabriel ne se doute donc de rien ? Pourquoi n'a-t-il jamais rien fait pour sa mère ? Il faudrait qu'elle lui parle, qu'il s'explique, elle essaiera de provoquer des éclaircissements à son retour, même si elle sait que ça ne la regarde pas. Oui, en fait ça la regarde. Une femme qui se respecte ne devrait jamais laisser une autre femme dans une si grande détresse.

Elle se sent déjà mieux. Un peu. Elle va endurer Fulgence pendant les trois jours suivants, elle va se pâmer sur ce qu'elle va voir, s'extasier pendant les repas, et à son retour s'occuper de Victoire. Elle sait qu'elle se donne bonne conscience, qu'elle retombe, du moins pour le week-end, dans cet égoïsme qu'elle se reproche si souvent, à tort ou à raison. De bonnes intentions, bien généreuses, puis un retour – en espérant qu'il ne sera pas définitif – sur soi-même.

Elle lève son verre de rouge, fait un effort pour sourire.

« J'espère que le dessert va être aussi bon que le reste… »

Fulgence a suggéré qu'ils aillent se dégourdir les jambes sur la terrasse Dufferin avant le souper. La

longue promenade de bois longe le Château Frontenac – magnifique faux château fort et rendez-vous des
riches touristes venus de tous les coins de la planète,
posé sur le cap Diamant comme un trophée –, et sur-
plombe la Basse-Ville. On s'y croirait au balcon d'un
des plus beaux et des plus vastes panoramas du monde.
À gauche, le funiculaire électrique qui les déposera
demain matin près de la place Royale. Plus loin, le quai
où ils prendront le traversier pour se rendre de l'autre
côté du fleuve. Le coucher de soleil baigne Lévis, en
face, des centaines de fenêtres en reflètent la lumière,
la rive sud est presque aveuglante.

Maria a refusé de s'asseoir sur l'un des bancs de bois.
Elle veut tout voir, elle s'est appuyée contre la rambarde, sa tête est tournée vers la gauche, vers l'infini.

« C'est quoi, là-bas ? C'est toujours la rive sud ?

— Non. C'est l'île d'Orléans. Juste en face, ou à
peu près, y a la chute Montmorency. De ce côté-ci du
fleuve. On peut pas la voir d'ici, mais…

— C'est tellement beau !

— Oui, c'est beau…

— Qu'est-ce qu'y a après, plus loin que l'île
d'Orléans ?

— Y a Charlevoix, y a l'embouchure du Saguenay,
pis presque tu-suite après on appelle ça la mer, même
si c'est encore le fleuve Saint-Laurent.

— La mer. J'ai pas vu la mer depuis mon départ
de Providence. »

Elle se penche au-dessus de la rambarde, étire le cou.

« C'est là que je voudrais aller.

— Où, là ?

— Par là. Plus loin. Encore plus loin qu'ici. J'aimerais ça… comment je dirais ça… J'aimerais ça
me perdre dans le paysage. Dans ce paysage-là.

Comprends-tu? Aller toujours plus loin, plus loin que le fleuve qu'on appelle la mer, disparaître, tout oublier, mes troubles pis ceux des autres. J'ai la bougeotte, Fulgence, j'ai encore la bougeotte. Québec est pas assez loin pour moi. Même si j'apprécie que tu m'ayes emmenée jusqu'ici. Pis peut-être que plus loin est pas assez loin non plus… Peut-être même qu'y en a pas de place assez loin. Qu'y aura toujours une place plus loin où je voudrai aller… »

Elle appuie la tête sur l'épaule de Fulgence.

«Y aura jamais de place assez loin pour moi. »

Elle relève la tête, regarde les ombres qui envahissent le promontoire sur lequel est posée Lévis. Fulgence la prend par la taille.

«Qu'est-ce que t'irais faire là? Qu'est-ce qu'on fait quand on a trouvé le bout du monde?

— En tout cas, je sais que je reviendrais pas…

— T'as jamais pensé… Maria, regarde-moi. »

Elle tourne la tête dans sa direction, mais ses yeux sont ailleurs, ils voient autre chose ou ils essaient d'en deviner les contours.

«T'as jamais pensé… que c'est pas de Sainte-Marie-de-Saskatchewan, ni de Providence, ni de Montréal que tu veux te sauver? Que c'est de toi? Tu penses que changer de ville va changer le mal de place, mais le mal y est en dedans de toi! T'as assez voyagé, t'as assez essayé d'être heureuse *ailleurs* pour le savoir. Essaye de creuser par en dedans au lieu de te sauver par en dehors! Pis en attendant, essaye de profiter de notre fin de semaine… Pis, surtout, de ce que t'as au lieu de ce que t'as pas. »

Elle hausserait bien les épaules, mais ça l'offusquerait.

Pauvre homme! Ça ne lui a tout de même pas pris toutes ces années-là pour comprendre ça!

Théo s'est offert à préparer le souper. En fait, ils ont mangé des sandwichs au jambon et un reste de laitue que Maria avait laissé dans la glacière, additionné de crème douce et d'échalotes. Et des chips. Beaucoup de chips. Fleurette, pourtant excellente cuisinière – une mère souvent malade, un père et trois frères sans cesse affamés et goinfres comme des ogres –, a apprécié le geste. Pas un homme de sa maisonnée n'aurait été capable d'en faire autant. Le pain du sandwich était tranché trop épais, la salade salée à outrance, même le Coke était tiédasse, mais on la servait, elle n'avait rien à faire et elle se laissait gâter. Et elle avait faim après sa journée de travail.

Théo l'avait d'abord invitée pour le lendemain, samedi, elle avait dû refuser, expliquant que son père et ses frères ne pouvaient pas se passer d'elle pendant la fin de semaine, que le samedi et le dimanche elle devait préparer d'énormes repas, parfois même pour les blondes de ses frères qui ne levaient pas le petit doigt et la traitaient comme une servante. C'est du moins ce qu'elle prétendait, la main nerveuse et l'œil en furie.

«Quand y seront mariés, y resteront chez eux! Moi, j'vas juste m'occuper de mes parents! Finis, les gros soupers pour neuf personnes!»

Le repas terminé, elle a voulu faire la vaisselle ; il a refusé.

Elle l'a regardé de dos, en fumant une cigarette.

« T'as pourtant été élevé par trois sœurs… »

Il lui a répondu sans se retourner.

« Oui, mais quand y se sont mariées, j'ai été obligé de me dégâter ! J'te dis que ça a pas été long que ma mère m'a montré à me débrouiller tu-seul ! Pis à c't'heure qu'on est juste tou'es deux dans' maison, avec monsieur Rambert, l'homme que ma mère fréquente depuis des années, qui vient nous voir de temps en temps, on se prépare des petites affaires chacun notre tour… Y a juste le dimanche, des fois, qu'on cuisine quequ'chose de spécial, un rôti, un pâté chinois… »

Elle a éteint sa cigarette en lançant un dernier jet de fumée.

« T'es capable de faire un pâté chinois ? J'te dis que t'es bon à marier ! »

Il s'est essuyé les mains, a enlevé son tablier.

« Pas encore, j'en ai ben peur… »

Il est venu s'asseoir à côté d'elle, lui a pris une main. Il était tellement rouge que Fleurette a cru qu'il allait saigner du nez.

« On a pas encore reparlé de l'autre soir… »

Elle a retiré sa main, pigé une cigarette dans le paquet presque vide.

« Parle pas de ça, c'est des affaires qui arrivent…

— C'tait la première fois, tu comprends…

— Moi aussi c'tait la première fois. En tout cas que j'allais si loin… Va falloir que t'apprennes à te retenir un peu.

— Ça veut dire que tu veux recommencer ? »

Elle l'a ébouriffé en riant.

« Que c'est que tu penses que je fais ici ? »

Après sa mésaventure au cinéma Palace, Théo n'a pas osé parler à Fleurette pendant des jours. Il l'évitait, prenant de grands détours à l'heure du lunch pour ne pas la croiser, attendant qu'elle ait *punché* sa carte de présence, à six heures, avant de quitter la manufacture Raymond. Comme elle ne faisait pas d'efforts elle non plus pour l'aborder, il a pensé qu'elle ne voulait plus rien savoir de lui et s'en est voulu. Quand il pensait à son humiliation, cet horrible instant où il avait compris qu'il ne pourrait plus se retenir, si tôt, au tout début de ce qui aurait dû être un long moment de plaisir, il avait chaud, il était presque étourdi de honte, il avait envie de disparaître à tout jamais entre les lattes du plancher. Il n'avait personne pour lui apprendre comment se comporter avec les femmes, comment, surtout, faire durer son propre plaisir, étirer les choses, retarder son soulagement final, et il se demandait si c'était là, ce trop bref soubresaut, ce qui l'attendait pour le reste de ses jours. Une perpétuelle déception pour les femmes, l'embarras pour lui.

À qui s'adresser ? Ce n'était sûrement pas monsieur Rambert qui pouvait l'aider, c'était un homme froid, distant, Théo avait de la difficulté à l'imaginer en train de… surtout avec sa mère ! Et comment aborder une question aussi délicate ? Passer par-dessus la gêne qui s'installe toujours entre deux hommes qui ont des choses sérieuses à se dire ? Impossible. En tout cas avec l'ami de sa mère. Ou alors s'adresser à ses compagnons de travail ? Ils parlaient toujours de ça en faisant des farces de mauvais goût, peut-être pour cacher leur propre inaptitude à satisfaire une femme. Des égoïstes qui ne pensaient qu'à leur propre plaisir sans se soucier de ce que pouvait ressentir leur partenaire. C'était l'éducation – ou plutôt le manque d'éducation – qu'ils avaient héritée de leur père : on ne parle pas de ces choses-là, ou alors on en fait des plaisanteries graveleuses à raconter entre deux bières, entre deux cigarettes, à la taverne ou au travail pendant le repas du midi. On cache son ignorance crasse sous les rires gras.

Aussi a-t-il été très surpris lorsque Fleurette, le vendredi après leur fameuse sortie, est venue lui offrir une belle grosse pomme bien rouge.

« C'est une McIntosh, sont arrivées. »

Il a pris le fruit, incapable de prononcer un seul mot. Et il a mordu dedans, sans vraiment goûter la délicieuse pulpe.

Fleurette a fait comme si de rien n'était et a parlé de choses et d'autres, un babillage un peu trop appuyé qui laissait cependant deviner un malaise impossible à exprimer et qu'il valait mieux taire. Son éducation à elle.

Elle allait lui donner une seconde chance ? Théo aurait sauté de joie. Si la délicate situation dans laquelle ils s'étaient retrouvés au cinéma Palace se renouvelait, il se montrerait fort, il ferait tout pour… pour quoi ? Elle lui parlait de la pluie et du beau temps, elle minaudait, elle secouait la tête pour replacer ses cheveux, elle riait, et lui ne pensait qu'à sa propre inexpérience. Saurait-il mieux faire la deuxième fois ? Même avec les meilleures intentions du monde ? Sans personne pour le conseiller ? Ces choses-là venaient-elles naturellement, avec le temps, à force de répétitions ? Une longue série d'humiliations avant une première victoire ?

« Y a un nouveau film musical au Saint-Denis, *Le baron tzigane*, y paraît que c'est ben beau… »

Il n'a d'abord pas compris ce qu'elle disait, perdu dans ses pensées noires et déprimantes.

« Théo, m'écoutes-tu ? J'aimerais ça qu'on aille aux vues… »

Sa réponse l'a étonné lui-même. Il s'est entendu parler comme si c'était quelqu'un d'autre qui s'adressait à Fleurette. Il a commencé sa phrase sans savoir comment elle allait se terminer, elle est sortie sans qu'il réfléchisse à ce qu'il disait.

« Ma mère s'en va à Québec pour la fin de semaine, tu pourrais venir faire un tour à la maison samedi soir… »

Elle l'a pris par la main et l'a attiré à elle en lui demandant où était sa chambre.

Ils sont maintenant debout face à face, Théo tout rouge et les bras ballants, Fleurette les siens posés sur les hanches. Elle se doute qu'elle devra prendre toutes les décisions même si elle n'en sait pas plus que lui au sujet de ce qu'ils sont sur le point d'accomplir.

« On va se déshabiller avant de se coucher dans le lit, comme ça on risque d'éviter un accident… Si on se touche trop avant…

— Parle pas de ça, ça m'énerve tellement… »

Ils s'assoient sur le lit étroit, se déshabillent. Théo laisse tomber ses vêtements sur le plancher tout en se cachant l'entre-jambes qui commence déjà à se réveiller, Fleurette les ramasse, les plie, les dépose sur une chaise.

« Ça me rassure de voir que t'es un vrai gars pis que tu laisses traîner tes affaires. T'as été gâté par trois sœurs, j'ai gâté trois frères… »

Elle jette un coup d'œil sur son érection qu'il n'arrive pas à dissimuler complètement.

« J'm'étais pas rendu compte que c'était aussi impressionnant, l'autre soir… Félicitations… »

Elle voulait l'amadouer, le faire sourire, elle n'arrive qu'à le rendre encore plus confus.

Elle se glisse sur le dos par-dessus les draps défaits.

« Faudrait qu'on se décide. »

Il la regarde en tenant son sexe à deux mains.

Il a souvent vu ses sœurs à moitié nues, dans la salle de bains, quand il faisait semblant de ne pas savoir qu'elle était occupée ou pendant qu'elles s'habillaient dans leur chambre et qu'il jetait un coup d'œil en passant, surtout Alice, en fait, qui ne se gênait pas pour se promener dans la maison en petite tenue, au grand dam de Béa qui lui répétait que Théo n'était plus un enfant et qu'il fallait éviter de l'exciter.

« Si Nana était là, t'oserais jamais faire ça !

— Quand Nana était là, on n'osait jamais rien faire, nuance ! »

Il regardait aussi sous leur jupe quand l'occasion se présentait. Faute d'avoir des amies compréhensives ou délurées, il jetait son dévolu sur ses sœurs qui ne s'en rendaient pas toujours compte. Ou qui faisaient comme si.

Mais une femme complètement nue, comme ça, offerte, qui le regarde avec des yeux énamourés et qui lui fait un petit geste d'invitation… c'est plus que troublant, ça pourrait rendre fou !

« Laisse-moi te regarder, t'es tellement belle… »

Ce n'est pas tout à fait exact. Elle est maigrichonne, ses seins sont tout menus, son sexe trop frisé et il ne s'attendait pas à lui voir des poils aux aisselles.

« R'garde pas trop longtemps, Théo, tu vas te rendre compte que c'est pas vrai pantoute. »

Une drôle d'odeur se dégage d'elle, c'est piquant, épicé, dans toute autre situation il trouverait sans doute que ça ne sent pas très bon, mais là, ça le trouble et ça l'excite au point qu'il aurait envie de dire à Fleurette de se contenir – comme si c'était possible! –, si elle ne veut pas que le désastre de la dernière fois se répète. Son cœur bat trop vite, sa tête tourne un peu, il ne va tout de même pas perdre connaissance et s'écraser sur elle comme une tonne de briques!

Se retenir. Penser à autre chose? Non, tout de même, mais se retenir à tout prix pour éviter la catastrophe.

Elle lui tend une main qu'il saisit.

« Viens, on va essayer de trouver ce qu'y faut faire… à deux, on devrait y arriver… »

Elle n'a donc pas eu *la* conversation avec sa mère elle non plus?

Au moment où il se penche sur elle, pour l'embrasser, pour autre chose aussi, un bonheur indicible, défendu pour le moment parce qu'ils ne sont pas mariés, un flot d'émotions et une vague irrésistible de sensations s'emparent de lui, ses genoux n'arrivent plus à le supporter, ses bras tremblent, un frisson le secoue, il lance un cri à la fois de jouissance et de déception.

Un autre gâchis!

Et la culpabilité lui tombe dessus quelques secondes plus tard.

Fleurette soupire.

« On est vraiment pas sortis du bois, hein? »

DEUXIÈME PARTIE

L'auberge espagnole

« Y faut pas que tes cheveux dépassent par en arrière…
C'est une des choses les plus importantes, la perruque.
Tiens-la bien sur ton front pendant que je la tire dans
ton cou. J'aurais pu te mettre un bas de soie pour
cacher tes cheveux, c'est plus commode, mais c'est la
seule chose que j'ai oubliée… Moi, j'en ai pas besoin,
j'vas garder mes cheveux tels quels, j'ai jamais aimé ça,
les perruques… »

Édouard, déjà fagoté, est installé devant la vanité
de Ti-Lou.

La petite cérémonie de l'habillage ne lui a causé
aucun problème, après tout ce n'était qu'un déguisement, un jeu, un peu comme si on était à l'Halloween,
et il s'était amusé à se glisser dans les sous-vêtements
féminins et à enfiler les bas de soie, les attacher aux
jarretelles, tout en reluquant du coin de l'œil la toilette que lui avait préparée Ti-Lou pour cet événement exceptionnel, l'entrée officielle de la duchesse
de Langeais au pitoyable panthéon, Édouard en était
bien conscient, du Paradise. Le corset était une véri-
table torture, mais il s'y était attendu, et ne s'était pas
plaint quand Ti-Lou avait tiré sur les lacets de toutes
ses forces pour essayer, elle l'avait dit en riant, de lui
trouver une taille quelque part dans les replis de ses

bourrelets. La robe, une longue tunique vert émeraude pailletée d'or digne des films hollywoodiens, lui faisait comme un gant peut-être – sans doute – à cause des retouches invisibles mais fort utiles que son amie y avait apportées, surtout aux hanches. Les souliers, les plus laids de l'impressionnante collection de Ti-Lou, des escarpins jaune citron et rose, les avaient fait s'esclaffer. Un peu justes, mais il arriverait à les endurer.

Non, ce qui l'avait bouleversé, c'était la transformation spectaculaire de son visage au fur et à mesure que Ti-Lou appliquait les poudres, les fards, les rouges et les ombres avec des doigts experts. Il avait vu ses traits personnels, tout ce qui faisait de son visage le sien, disparaître sous la couche de maquillage, son front bombé, ses joues rondes et ses yeux un petit peu trop rapprochés se transformer en ceux de sa mère, alors qu'il n'avait jamais pensé qu'il lui ressemblait. Sa bouche, aussi, avait pris une forme nouvelle, plus importante, plus pulpeuse à cause du rouge à lèvres, et presque belle. De son père ne restait que le gros nez au bout arrondi qu'on retrouvait aussi chez Madeleine. Gabriel et Albertine n'avaient rien de Télesphore, c'était un des mystères de leur famille. Un visage de femme se peignait sur sa face de bébé attardé, d'éternel adolescent de vingt-deux ans dont un rêve inconscient, parce qu'il n'avait jamais *vraiment* rêvé de s'habiller en duchesse de Langeais, elle n'était qu'un fantasme, un fantôme inaccessible, allait s'accomplir.

Avant de s'asseoir devant le miroir de la vanité il était un homme habillé en femme, une sorte de clown qu'il ne pouvait pas prendre au sérieux, un être hybride fait pour amuser. Ou faire peur. Le maquillage terminé, la perruque mise, il se retrouve devant une femme, pas belle mais tout de même impressionnante, ce qu'on appelle dans les romans français une maîtresse femme. Il est devenu une maîtresse femme en moins d'une heure !

« Qu'est-ce que t'en penses ? »

Il fronce les sourcils avant de répondre. Il se penche en direction de sa nouvelle image, il scrute, il analyse les changements, les soupèse, les juge.

« Si je vous disais que ça me fait peur, me croiriez-vous ? »

Elle pose ses deux mains sur ses épaules, lui masse le cou.

« Détends-toi, ça va passer.

— Mais comment je vas faire pour revenir comme avant ? »

Elle replace une ou deux mèches rebelles de sa perruque rousse, glisse l'index sur le bout rond de son nez.

« C'est la seule chose que j'ai pas pu amincir. Excuse-moi, mais y est vraiment trop gros.

— Vous répondez pas à ma question.

— C'est pas à moi à y répondre, Édouard. Si tu veux, tu peux être deux personnes à partir d'à soir. Mais c'est toi que ça regarde. Y a pas de recette miracle pour régler ces affaires-là.

— Mais vous, vous avez été deux personnes toute votre vie…

— Pas vraiment. J'étais déjà une femme, Édouard, c'est toute la différence du monde. Je jouais un rôle, mais j'étais pas quelqu'un d'autre…

— Tandis que moi…

— Tandis que toi, tu vas être, peut-être pour le reste de ta vie, un vendeur de chaussures le jour pis une duchesse le soir.

« — Vous pensez pas que j'vas pouvoir abandonner le vendeur de chaussures un jour ? Pour vivre en duchesse ? »

Elle se penche, on dirait presque qu'elle va l'embrasser dans le cou.

« Pense pas à ça. Pour abandonner le vendeur de chaussures y faudrait que t'aies un grand talent pour quequ'chose... Un talent d'imitatrice, ou ben de chanteuse. As-tu un grand talent pour quequ'chose, Édouard ? »

Il se redresse sur sa petite chaise, bombe la poitrine, prend son faux accent français.

« Un peu de respect, meudame ! Vous ne savez doncre pas à qui vous vous adressez ? »

Elle rit. Elle va jouer le jeu. Pour la première fois. Pour lui faire oublier leur conversation.

« Excusez-moi, madame la duchesse. Mais je dois vous demander d'aller m'attendre dans le salon. Il faut que je me grèye, moi itou ! Votre dame de compagnie ne doit pas vous faire honte... »

Il, ou plutôt elle, se lève et se dirige vers la porte d'une démarche qui se veut comme celle de Ti-Lou.

Avant de quitter la pièce, la duchesse de Langeais se tourne vers son amie. La femme du monde a disparu, il ne reste plus qu'un jeune homme perdu déguisé en douairière.

« Vous avez raison. J'ai pas de talent. Juste pour bitcher. Pis je vous dis que j'vas en profiter ! »

Ti-Lou a déjà le nez dans sa penderie.

« Exagère pas trop, ça pourrait te retomber sur le nez.

— Y est trop gros, ça y ferait du bien... »

Elle se tourne vers son œuvre, se dit en la regardant qu'elle ne l'a pas trop mal réussie.

« J't'avertis quand même, Édouard, fais attention. »

La duchesse éclate de rire, mais Ti-Lou n'est pas convaincue qu'Édouard fait de même.

« Rendu où chus là, j'pense que j'ai pus rien à perdre… »

Il est engoncé dans son costume, il n'arrive pas à croiser les jambes, son corset l'étouffe, sa perruque le gratte, ses souliers sont comme deux étaux qui se resserrent un peu plus chaque minute, ses gants, longs jusqu'aux coudes, sont trop chauds, il se dit que s'il faut souffrir pour être belle, il doit être en ce moment même absolument magnifique à voir !

Il s'évente avec un vieux magazine qu'il a trouvé sur une table d'appoint placée près du canapé où il a trouvé refuge. Pourvu que son maquillage ne commence pas à couler tout de suite ! Une duchesse de Langeais en ruine est la dernière chose qu'il veut montrer au Paradise. Ce qu'il veut offrir, et même imposer, aux habitués du club de nuit, c'est un tourbillon de couleurs, de paroles, de gestes élégants et de mimiques minaudières copié sur les actrices françaises et les vamps américaines, pas une baleine essoufflée et suante qui n'a plus d'énergie et qui s'écrase dans un coin pour se faire oublier ! Faire une entrée remarquée, pas se faufiler comme une illustre inconnue pour passer inaperçue, la perruque de guingois et le rimmel sur les joues !

Il a soudain envie de tout arracher ce qu'il a sur le dos pour retrouver ses vêtements à lui, quelconques mais secs ! Édouard, le vrai, s'est toujours débrouillé sans artifices, sa duchesse de Langeais lui vient de l'intérieur, c'est une invention qui n'a pas de vraie consistance, une créature qui n'a sans doute pas besoin de tous ces oripeaux, si beaux soient-ils, un être imaginaire qui perdra peut-être de son efficacité s'il met trop d'efforts à l'incarner comme une personne réelle.

Tant de travail – surtout de la part de madame Ti-Lou – pour se retrouver en fin de compte déçu et défait. Avant même de commencer. Il est épuisé à la seule pensée de prendre un taxi pour se rendre au Paradise.

Il se lève, s'approche du grand miroir penché qui trône au-dessus du faux foyer sans doute en plâtre et dans lequel il peut se voir de pied en cap. Ce qu'il aperçoit le stupéfait. Cette grosse femme, caparaçonnée, boudinée, maquillée à l'excès, a tout de même une certaine allure… Et même *beaucoup* d'allure. Si l'intérieur n'est que souffrance et embarras, l'enveloppe est fort intéressante. Il lève le bras gauche. Tout ce qui manque c'est un porte-cigarette, comme les méchantes dans les films d'espionnage. Il redresse le menton, se place de profil au miroir, et s'essaie à Greta Garbo :

« I vant to be aloooone ! »

Il rit.

Tout ça, en fin de compte, offre des possibilités…

Ti-Lou lui a glissé au doigt un énorme cabochon de faux rubis par-dessus son gant en lui disant qu'il n'y a rien de plus chic qu'une femme qui boit une flûte de champagne en la tenant d'un gant bagué.

Édouard rit encore plus fort en se disant que c'est là un propos de travesti. *Madame Ti-Lou est-tu une vraie femme, 'coudonc ! Tout ce temps-là, j'avais-tu affaire à un Louis Desrosiers sans le savoir ?*

Il n'a pas le temps de regretter sa pensée qu'elle arrive justement. Il entend le froufrou de sa robe, son léger boitillement aussi, mais ça il ne veut pas s'y arrêter. Il se retourne.

Une splendeur.

Un oiseau de paradis sur le retour, échappé de sa jungle luxuriante.

Le bleu paon, le turquoise, l'or, le bronze se mêlent de façon si subtile que rien ne choque l'œil, au contraire. Au lieu de briller à la façon d'Édouard – le vert émeraude de la robe, le jaune citron des souliers et ce cabochon rouge qui attire l'attention –, Ti-Lou luit doucement dans la lumière déclinante du salon. C'est la discrétion dans l'extravagance qui étonne. Les derniers ambres d'un feu qui a été grand. Tout est d'un autre âge, du couvre-chef aux souliers, des oripeaux qui furent sans doute à la mode il y a longtemps, le cha-peau extravagant garni de plumes de coq, par exemple, ou les colliers trop longs, pleins de nœuds, et qui sont ce soir-là un rappel vieillot, presque mélancolique, de ce qui fut beau. C'est beau comme ce qui vient de loin.

Édouard a pour la première fois devant lui la vraie louve d'Ottawa et comprend qu'une ville entière, du moins sa population mâle, se soit damnée pour elle.

«T'as vu que j'ai mis un *choker* autour de mon cou...»

Trois rangs de – faux? – diamants lui encerclent en effet le cou, on dirait un membre de la famille royale d'Angleterre... La reine Marie?

«J'voudrais te demander une chose...

— Vous pourriez attendre que je vous dise à quel point vous êtes belle...

— Tes yeux me le disent, Édouard. Tout ton visage me le dit...

— Je voudrais quand même vous le dire en mots: vous êtes la plus belle femme que j'ai jamais vue.

— C'est parce que t'as pas beaucoup sorti. Un temps, oui, j'aurais rien répondu pis j'aurais fait semblant de rougir.»

Elle s'assoit sur le canapé, tapote le coussin à côté d'elle.

Édouard s'approche en maîtrisant du mieux qu'il peut les douleurs qu'il ressent partout.

«J'espère que j'vas être capable de me plier pour me rasseoir… D'un coup que je fais péter le corset!»

Il y arrive sans trop de problème, prend une pose qu'il espère royale, en tout cas pas trop maladroite. Ou gauche. Ou gourde.

«Comme je te disais, j'ai quequ'chose à te demander. Écoute. Comme les clients du Paradise sont presque tous comme toi, c'est toi-même qui me l'as dit, ça fait que j'aimerais ça… saute pas, là, mais j'aimerais ça que tu dises pas qui je suis, que tu dises surtout pas que chus une femme. C'est pour ça que j'ai mis le *choker*. Pour faire semblant que je cache mon gorgoton.

— Un travesti? Vous aussi? Pourquoi? Vous allez me voler la vedette si y pensent que vous êtes un travesti, vous êtes tellement plus belle que moi!

— Non, aie pas peur, j'vas te laisser le plancher. J'vas me faire discrète. J'vas rester dans l'ombre. Comme un fantôme. C'est la duchesse de Langeais qui va être drôle pis qui va attirer l'attention, moi… moi, j'vas être une décoration en arrière de toi…

— Ça peut pas marcher!

— Ça va t'obliger à briller par toi-même, Édouard! Va falloir que tu travailles fort, pis tu vas être plus efficace…

— Êtes-vous en train de me dire que vous faites ça pour m'aider?

— Tu sais très bien que tout ce que je fais à soir c'est pour t'aider, autant que pour m'aider moi-même… C'est un défi que je te lance. J'ai le goût de sortir, c'est vrai, mais je veux pas être le personnage que j'ai toujours joué.

— Pis comment j'vas vous présenter? Quel nom j'vas vous donner?

— J'y ai pensé. À soir, j'vas m'appeler Ti-Lou, la louve des basses-fosses.»

Édouard ne peut pas s'empêcher de rire.

«En tout cas, c'est un vrai nom de travesti!

— Pis c'est comme ça que j'me suis sentie depuis cinq ans. Mais c'est fini.

— Si c'est fini, pourquoi vous voulez vous appeler de même?

— Pour mettre un point final à tout ça. Pour m'en débarrasser à tout jamais. Pour le porter pour vrai une fois. Même si je sais que j'en ai pas l'air.»

La nuit est tombée. Il faudrait allumer des lampes. On se croirait dans le salon de Ti-Lou avant qu'elle ne décide de faire de la lumière. Elles restent dans le noir, la fausse duchesse, la fausse louve des basses-fosses.

«J'ai un cadeau pour toi, aussi.

— Un cadeau? Vous pensez pas que vous m'en avez assez donné?»

Elle lui tend un pot de crème. Il pense d'abord que c'est du cold cream, le format est le même, mais lorsqu'il l'ouvre après avoir remercié Ti-Lou…

Ah!

Le gardénia!

Le gardénia!

Ça lui monte aussitôt à la tête. Et s'il n'était pas maquillé, il se laisserait aller à brailler comme un enfant.

«J'fais venir ça d'Angleterre depuis des années. J'en ai pas mis, à soir. C'est toi qui vas sentir le gardénia, à soir, duchesse.

— Mais où c'est que je vas me mettre ça? C'est une crème à mains pis chus gantée jusqu'au coude!

— C'est de la crème pour le corps. Sers-toi de ton imagination, duchesse. Y me semble que c'est pas ça qui te manque... »

« C'est pas trop dur ? T'aimes ça ?

— C'est pas dur, non. Pis le curé est gentil.

— T'es ben traitée ?

— Oui. J'fais tout pour être discrète comme on me l'a demandé. En tout cas, je mange mieux que chez les sœurs ! J'étais assez tannée de la sautadite soupe au barley ! Le cuisinier, c'est un cousin du curé, est ben bon…

— C't'un homme qui fait à manger !

— Oui, pis y est bon en pas pour rire. Y s'appelle Pit. Pit Cadieux.

— J'ai jamais entendu parler d'un curé qui avait un homme pour y faire à manger…

— J'vous ai dit que c'était son cousin, c'est peut-être pour ça… Y a dû vouloir y donner une chance… Pis comme monsieur le curé aime les desserts, on en mange, des gâteaux… »

C'est le dernier vendredi du mois et la chaleur presque estivale est revenue, sans doute un ultime soubresaut, comme un chien qui s'ébroue avant de s'endormir. On a enlevé les foulards et les chapeaux qu'on avait sortis ces derniers jours, certains, les plus téméraires, se promènent même sans manteau. Au risque de se retrouver gelés en fin de soirée parce qu'on annonce une vague de froid imminente venue du nord-ouest, du lointain mais toujours menaçant Alaska.

Josaphat est allé cueillir sa fille au presbytère de l'église Saint-Stanislas-de-Kostka, boulevard Saint-Joseph. Une permission accordée à Laura qui a dit au curé que c'était la fête de son père – ce qui est bien sûr faux – et qu'il voulait fêter ça dans un restaurant chic du bas de la ville. Peut-être au Geracimo. Elle avait aussi prévenu qu'elle rentrerait tard, que c'était la première et dernière fois, que ça ne se reproduirait plus. Le curé Pomerleau avait rechigné avant de lui dire que ça allait… mais à condition que ce soit vraiment la dernière fois. Il avait même insisté pour venir serrer la main de Josaphat quand celui-ci s'était présenté au presbytère. Pour vérifier si Laura ne mentait pas? Il avait semblé soulagé en apercevant l'homme prématurément vieilli qui avait de toute évidence fait des efforts vestimentaires – une chemise presque blanche, une cravate, une veste à peu près propre – malgré la vétusté de son accoutrement. Le curé de Saint-Jérôme avait souligné dans sa lettre de recommandation que Laura venait d'une famille très pauvre et le curé Pomerleau s'était laissé attendrir par cet homme qui se permettait une grande dépense, en tout cas pour lui, en compagnie de sa fille, pour son anniversaire. Même si le Geracimo était loin d'être un restaurant chic.

«Y est pas un peu de bonne heure, popa, pour aller à l'Auberge du Canada?

— C'est ouvert toute la journée. Y ferment juste pour faire le ménage, la nuit… Y a du monde qui boivent à toutes les heures de la journée, tu sais. Pis les veillées, surtout quand y a un show, commencent de bonne heure. De toute façon, on va pas là pour fêter, on va là pour voir si ta mère y est…

— Qu'est-ce qu'on va faire si est là?

— C'est toé qui as voulu la voir, Laura…

— Mais à l'Auberge du Canada, ça me fait un peu peur…

— T'as pas besoin d'avoir peur, chus là… Pis je connais ben du monde, y vont nous laisser tranquilles…

— J'sais quand même pas c'que j'vas y dire…

— Chus sûr qu'a' va être contente. Inquiète-toi pas, à c't'heure-là a' sera pas trop avancée dans sa boisson… »

Ils descendent la rue Saint-Denis, ombragée et bruyante. Les Montréalais profitent d'une des dernières belles soirées et se promènent sur les grandes artères.

Ils mettront une bonne demi-heure avant d'atteindre la vieille ville. L'Auberge du Canada est située sur la rue Saint-Paul, qui longe le port, à l'autre bout de la métropole. C'est Laura qui a insisté pour marcher.

« Chus monté de chez nous jusqu'au presbytère de Saint-Stanislas à pied pour aller te chercher, Laura.

— Ça va vous faire du bien.

— Ça va me tuer, tu veux dire! J'ai pus la souplesse que j'avais, tu sais.

— Vous êtes surtout un vieux grincheux quand ça fait votre affaire… »

Elle a glissé son bras sous celui de son père.

« T'as quequ'chose à me demander, toé… J'te connais…

— Pourquoi vous dites ça?

— D'habitude, t'es plus jasante que ça. Une vraie pie. T'es pas arrêtable…

— Ça veut pas dire que j'ai quequ'chose à vous demander parce que je parle moins…

— Oui. Je le sens depuis qu'on a quitté le presbytère. Vas-y, shoote, j'ai rien à te cacher. Enfin, pas
grand-chose… »

A-t-elle rougi ? En tout cas, elle a baissé la tête.

« J'aimerais ça que vous me parliez… d'elles.

— Qui ça, elle ? De qui tu veux parler !

— Les quatre femmes…

— Laura, j't'ai dit cent fois que ça sert à rien de
demander des explications là-dessus, c'est des choses
qui s'expliquent pas…

— Je le sais… mais quand chus avec vous, j'ai jamais
l'impression qu'on est tu-seuls…

— Y le sentent quand quelqu'un veut être tu-seul
avec moé, Laura, j'te l'ai dit cent fois…

— Pis qu'est-ce qu'y font ? Y disparaissent ? Sont-tu
là, là ? Sont-tu avec nous autres ? Y nous suivent-tu ?

— Non.

— Pourquoi ?

— J'leur ai demandé… j'leur ai dit que j'aimerais
ça passer la soirée juste avec toi…

— Pis y vous écoutent.

— Y sont restées à' maison. Parce que je leur ai
demandé, oui.

— Vous savez que c'est pas vrai, hein ?

— Quoi, donc ?

— Tout ça, les tricoteuses, votre talent naturel pour
la musique que vous expliquez avec des histoires qui
ont pas de bon sens… Pensez-vous toujours que c'est
vous qui faites lever la lune quand est pleine, pis que
si vous le faites pas…

— Arrête de penser à ça, Laura. Arrête de réfléchir
là-dessus. Tu me parles de ça chaque fois qu'on se
voit !

— Mais si on pouvait vous faire soigner, popa…

— Arrête de vouloir tout expliquer. C'est pas plus beau comme ça ?

— Vous trouvez peut-être ça beau, moi je trouve ça inquiétant !

— Parce que tu penses que c'est de la folie.

— Parce que je sais que c'est de la folie. »

Il s'arrête au beau milieu du trottoir, s'éponge le front avec son mouchoir tout chiffonné.

« Mettons. Mettons que rien de tout ça est vrai, que c'est juste dans ma tête, que c'est mon imagination qui me joue des tours depuis toujours. Que je m'invente des histoires pour survivre. Mettons. J'me dis ça, des fois, moi aussi, tu sais… Qu'est-ce que ça changerait de me faire soigner ? Hein ?

— Ça changerait qu'on pourrait vous aider…

— Pourquoi ? Encore une fois, tu trouves pas ça plus beau comme ça ?

— Non. Ça vous a poursuivi toute votre vie, popa, vous êtes pas tanné ?

— Ben oui, ça m'arrive d'être tanné ! Ben sûr ! Mais ces femmes-là, Laura, m'ont aidé à passer à travers toute dans ma vie ! J'ai survécu aux pires malheurs à cause d'elles ! Avec elles ! Sont la seule constance que j'ai ! La seule ! Quelle importance, au fond, que ces femmes-là existent ou non ? Sans elles je serais encore plus fou ou ben donc mort ! J's'rais mort fou, Laura ! Pense à ça ! Là, au moins, même si chus fou, chus vivant ! Profites-en !

— Y a jamais moyen de discuter avec vous…

— Pourquoi ? Parce que j'ai des bons arguments ?

— Y a pas de bons arguments quand y s'agit de ces affaires-là. »

Ils ont repris leur marche, bras dessus, bras dessous.

« On tourne toujours en rond quand on parle de ça, popa…

— Ben arrêtons d'en parler. »

Ils font quelques pas en silence.

« En tout cas, moi, j'arrêterai pas d'y penser. »

Il sourit.

« D'un coup que ça te rend folle, toi aussi, pis que tu te mets à jouer du violon même si tu l'as pas appris ? »

Elle le pousse du coude.

« En plus, vous êtes capable de faire des farces avec ça...

— Chus capable de faire des farces avec tout, Laura... C'est un autre de mes secrets... »

En fait, il vient de lui mentir. Il sait très bien que s'il se retournait, il les verrait à quelques pas derrière eux, discrètes et sérieuses. L'une d'entre elles lui ferait peut-être un petit signe de la main. Au contraire de ce qu'il vient de dire à sa fille, il n'a aucun contrôle sur leur présence, elles sont toujours là et leur constance est une nourriture dont il a besoin, même s'il lui arrive de perdre patience et de penser qu'il aimerait se débarrasser d'elles. C'est vrai qu'il estime tout leur devoir et se demande parfois ce qu'il serait devenu sans elles.

Ils traversent la rue Sainte-Catherine. Ils vont arriver bientôt. La rue Saint-Denis va devenir la rue Bonsecours, ils vont ensuite atteindre Saint-Paul, tourner à droite... Josaphat a tellement souvent fait ce parcours, à jeun ou soûl mort, qu'il a l'impression d'être un cheval endormi qui rentre à l'écurie sans trop s'en rendre compte après une longue randonnée.

« C'est pus loin. On est presque arrivés. On va enfin savoir à quoi s'en tenir.

— Vous avez raison, je l'avais presque oubliée, elle...

— Si on réussit à la voir, laisse-moi te dire que tu l'oublieras pas de sitôt, pis que tu vas avoir de quoi réfléchir! Si tu penses que chus fou… Elle, c'est une méchante folle, laisse-moé te le dire!»

Ils sont arrivés devant l'Auberge du Canada. Un escalier de bois vermoulu, une odeur d'alcool, surtout de bière, des cris, un air de tango joué au piano. Une atmosphère de désolation qui tombe aussitôt sur les épaules de Laura.

«C'est-tu elle qui joue?

— Ça se pourrait. T'es prête?

— Non. Mais on y va pareil.»

Elle grimpe quelques marches, s'arrête.

«Vous avez pas apporté votre violon?

— Non. J'avais pas envie de jouer, à soir. Surtout pas avec elle.

— Vous avez pas le goût de la revoir, hein?

— Non. J'ai pas le goût de la revoir. J'ai trop peur de ce qu'a' peut être devenue.»

C'est bien sûr la première fois que Laura met les pieds dans un tel endroit. Ce qui la frappe d'abord c'est l'obscurité presque totale et l'odeur encore plus prononcée qu'à l'extérieur, pas seulement d'alcool, mais aussi de corps mal lavés, de vêtements sérieusement défraîchis. Et de crachoirs jamais vidés.

Laura avait dû entrer dans une taverne, un jour qu'elle cherchait son père, et ce qui l'avait étonnée était l'éclairage fort qui jetait sur les nombreux buveurs une lumière crue, comme si les hommes présents, au lieu de se cacher pour boire, se glorifiaient de leur état de soûlons et bravaient quiconque oserait venir le leur reprocher.

À l'Auberge du Canada, au contraire, tout semble se faire dans le noir. Laura plisse les yeux tout en évitant, par politesse, de se boucher le nez. Pourtant, personne ne s'en rendrait compte.

Puis elle remarque la musique qu'elle avait entendue de l'extérieur. Un piano seul, et pas des plus justes, brasse un morceau qu'elle reconnaît sans toutefois en trouver le titre.

Un spectacle est en cours quelque part au fond du local, mais l'épaisse fumée de cigarettes et de pipe fait écran, et ce qui se déroule sur la scène, étonnamment vaste pour un endroit si petit, en est gommé, presque irréel. Les couleurs ont été passées au pastel, les silhouettes sont floues.

Un couple danse. Elle, boulotte, entravée dans une robe qui se veut d'inspiration espagnole, pas très souple et le sourire contraint, lui vif et agile – c'est de toute évidence lui la vedette du numéro –, le geste sûr, les jambes tricotant avec grande facilité des arabesques peu viriles. Il virevolte, il fait des pirouettes sans trop se soucier de sa partenaire, le dos droit, la tête relevée et le menton pointé droit devant. Et il semble commander le rythme du tango plus que lui obéir – c'est le musicien qui le suit, pas le contraire. On sent tout de suite que cet homme est non seulement dans son élément, mais qu'il est surtout heureux. Quant à son sourire…

Laura a presque un haut-le-corps.

Bien qu'elle ne se trouve pas près de lui et que la fumée ambiante efface certains détails, elle se rend tout de suite compte que le danseur est défiguré. Un nez presque absent, la peau rabotée et rougeaude, des touffes de cheveux manquantes ; une tête de grand brûlé. Cet homme tente-t-il de racheter ou d'oublier un malheur, essaie-t-il d'attirer l'attention loin de son visage par des tourbillons inutiles mais élégants ? Il tourne souvent la tête vers le fond de la scène, il fait dos au public, son fessier a plus d'éloquence que son visage, il le sait et s'en sert.

Josaphat s'est penché vers sa fille.

« Y s'appelle Gaston. Quelqu'un y a lancé de l'acide dans le visage. Une histoire de jalousie. Entre hommes, y paraît. Y essaie de faire oublier de c'qu'y a l'air en dansant. Tout le monde l'aime, ici. »

Le numéro est terminé.

Petits applaudissements, courts saluts.

« Mais tout le monde est ben tanné du même maudit numéro, par exemple… »

Laura applaudit un peu plus longtemps que les autres.

« Vous avez vu, popa, c'est un homme qui jouait du piano.

— Oui, ça veut dire que ta mère est pas là. Ou qu'est écrasée dans quequ'coin…

— Parlez pas d'elle comme ça, s'il vous plaît…

— J'aime mieux que tu sois avertie, Laura… Déjà que je me demande pourquoi j'ai accepté de partir à sa recherche avec toé… »

Josaphat installe Laura sur une chaise libre près de l'entrée et lui recommande de ne parler à personne.

« J'vas aller jeter un coup d'œil… Attends-moi ici. Si est pas là, on s'en va tu-suite… »

Une silhouette s'est approchée d'eux à toute vitesse en produisant autour d'elle des tourbillons de fumée. On dirait un train qui entre en gare.

« Josaphat ! J'en reviens pas ! Georgette avait raison, c'est ben toi ! Ça fait combien de temps qu'on t'a pas vu ? »

C'est Gaston, aussi maniéré que sur la scène, voix haut perchée et, de près, maquillage trop appuyé qui ne cache pas ses cicatrices. Il est encore plus terrifiant de proche, Laura n'ose pas le dévisager. Sa démarche ressemble un peu aux pas de danse qu'il vient d'exécuter sur la scène, c'est-à-dire que son déhanchement est très prononcé, comme s'il avait un problème au bassin qui le faisait chalouper.

Laura, qui n'a jamais vu un agrès pareil, le regarde avec de grands yeux ronds.

Il prend Josaphat dans ses bras, le serre contre lui puis l'embrasse sur les deux joues.

«C'est ben lui! J'en reviens pas! J'me peux pus! Après la scène de la dernière fois, on était sûrs de pus jamais te revoir! Pis c'est qui la jeune beauté qui est avec toi, vieux snoro!»

Il a tout dit d'un seul souffle, sans prendre de respiration et sur le même ton, comme s'il n'avait qu'une note à son répertoire.

Josaphat fait les présentations.

«T'as une fille! Tu nous as jamais dit ça!»

Si seulement il savait...

«Coudonc, as-tu déjà été marié? Dis-moi pas que c'est avec Imelda! J'me sus jamais posé la question! As-tu toujours ton violon? Tu l'as pas apporté avec toi? Joues-tu encore? C'est tellement beau quand tu joues...»

Laura se dit qu'il est sans doute difficile à suivre et que les conversations avec lui doivent vite virer au cauchemar.

Après avoir fait signe à sa fille de l'attendre, Josaphat entraîne Gaston vers le fond de l'établissement, là où les vrais buveurs, loin de la cohue et indifférents à ce qui peut se passer sur la scène, enfilent en silence bière sur bière dans l'espoir de se geler le cerveau ou, plus simplement, parce qu'ils ne peuvent plus s'en passer. Des familles ont été détruites ici, des jobs ont été perdues, des vies se sont achevées dans des sanglots déchirants ou une indifférence pétrifiée. À l'Auberge du Canada on appelle ironiquement cette section le septième ciel. Les serveurs, même s'ils y font pas mal d'argent, n'aiment pas trop le fréquenter, à cause de l'odeur et des insultes qu'ils y récoltent, et l'appellent plutôt le fin fond de l'enfer.

« En fait, je cherche Imelda. »

Gaston s'arrête pile devant une table où un buveur s'est endormi en tenant serré dans son poing un verre de bière tiédie que personne ne pourra venir lui voler sans le réveiller.

« Josaphat! Voyons donc! Vous avez failli vous tuer, la dernière fois! On en parle encore, ici…

— J'ai mes raisons. J't'expliquerai peut-être une autre fois.

— Une autre fois… Quand, ça? Dans la semaine des trois jeudis? Tu viens pus jamais nous voir!

— Est-tu là, à soir?

— Non. Ça fait un bout de temps qu'on l'a pas vue elle non plus. Le boss a fini par la mettre dehors parce qu'est-tait pus tenable.

— Tu sais pas où je peux la trouver?

— Y paraît que ces temps-ci a' se tient au Paradise. Les bons pianistes se font rares. Y paraît même qu'a' boit moins pis qu'a' s'est remise à jouer du piano…

— Mais le Paradise, c'est pas…

— Attention à ce que tu vas dire! Je danse là, la semaine prochaine, *pour mes amis*, si tu vois ce que je veux dire…

— C'est pas ça qui me surprend, c'est le fait qu'Imelda soit rendue là…

— Si c'est vrai. Je l'ai juste entendu dire. J'suppose qu'a' va où a' peut trouver du travail, elle aussi. Tu peux toujours aller voir. Pis si tu la trouves, dis-y pas bonjour de ma part, a' me doit vingt piasses, la maudite!»

Lorsqu'il se retourne après avoir dit au revoir à Gaston, Josaphat aperçoit les trois tricoteuses et leur mère qui entourent la chaise sur laquelle est assise Laura.

Ils marchent en direction du boulevard Saint-Laurent qu'ils prendront à droite pour remonter vers le nord. Le Paradise n'est pas très loin.

Laura est silencieuse.

«T'as pas dit un mot depuis qu'on est sortis de là, Laura. T'as pas aimé ce que t'as vu, hein?»

Elle hausse les épaules, serre son manteau contre elle. Tel qu'annoncé, il commence à faire froid.

«C'est juste que de savoir que ma mère s'est tenue là, pis que vous aussi...

— Faut ben gagner sa vie, Laura...

— D'après ce que je devine, a' faisait pas juste gagner sa vie, elle, a' dépensait tout ce qu'a' gagnait...»

Il passe son bras autour de ses épaules, l'attire à lui.

«On est pas obligés d'aller au Paradise, tu sais...

— Ben non, à c't'heure qu'on est partis on est aussi ben d'aller jusqu'au bout...

— Pourquoi tu t'entêtes comme ça?

— J'veux la voir! J'veux... Des fois je veux la voir, la prendre dans mes bras, y dire que j'y pardonne, pis d'autres fois j'ai juste envie de l'étrangler...»

Ils sont arrivés devant le Paradise. Deux personnes se tiennent devant la porte et semblent hésiter à entrer. Deux travestis d'après leur accoutrement.

Laura glisse son bras sous celui de son père.

« C'est correct, popa. Chus assez forte. Allons-y.

— J'souhaite quasiment qu'on la trouve pas, ma Laura.

— Pourquoi?

— Parce que même si tu y dis tout ce que tu penses, ça te fera peut-être pas de bien.

— Pourquoi pas?

— Parce que ça sert jamais à rien de s'adresser à un mur. »

En les apercevant, l'un des deux travestis, le plus gros, détourne la tête et fait comme s'il cherchait quelque chose de l'autre côté de la rue.

Au terme d'un délicieux repas au café Buade, Fulgence a invité Maria à prendre un dernier verre au bar l'Emprise de l'hôtel Clarendon avant de rentrer au Château Frontenac.

Il a commandé deux mandarines Napoléon, un digestif dont Maria n'a jamais entendu parler et qu'elle savoure à petites gorgées. C'est sucré, ça brûle la langue, le parfum de mandarine lui monte à la tête, elle se sent étourdie.

Ici, aucune trace de la Grande Dépression : tout est beau, chic, la clientèle comprise. L'atmosphère est feutrée, l'éclairage flatteur, on devine le réconfort de l'argent. Qui manque tant ailleurs. Fulgence l'a empêchée de consulter le menu, sans doute à cause des prix exorbitants. Le décor Art nouveau est ravissant. Des murs en verre dépoli et bois sombre, de véritables œuvres d'art, séparent le bar du hall de l'hôtel. Le personnel est stylé et discret. On peut entendre de l'anglais, de l'espagnol, de l'allemand. Un couple chamarré – viennent-ils des Indes ? – vide tranquillement une bouteille de champagne.

On est bien loin du Paradise, de sa pauvreté, de sa clientèle déprimante, et Maria, bien sûr, ne se sent pas chez elle, mais à son grand étonnement elle n'est pas non plus mal à l'aise. Depuis la scène sur la terrasse Dufferin – Soulagée? Oui. Satisfaite, non –, alors qu'elle a compris que son voyage se terminerait ici, à Québec, qu'elle n'irait jamais plus loin, elle se laisse aller à une espèce d'engourdissement, comme si elle se retrouvait épuisée après un travail éprouvant. Elle a apprécié le repas, elle apprécie sa mandarine Napoléon, tout en se sentant absente d'elle-même : elle est à la fois celle qui goûte et une autre qui la regarde goûter. L'alcool aidant – les soûlons qu'elle a fréquentés ont toujours dit que ça gelait –, elle coule doucement dans une indifférence qui n'est pas désagréable.

L'indifférence, c'est peut-être là, en fin de compte, le secret. Non pas du bonheur, plutôt de l'absence de malheur.

Elle n'écoute pas ce que dit Fulgence qui essaie du mieux qu'il peut de meubler le silence. Il le sait. Il continue quand même, compatissant, compréhensif. Maria a souvent envie de l'étrangler à cause de sa trop grande bonté, ce soir elle l'apprécie. Comme le repas. Comme le digestif.

Et si elle décidait, ici, maintenant, dans le bar l'Emprise de l'hôtel Clarendon de Québec, un verre de mandarine Napoléon à la main, au milieu de conversations qu'elle ne comprend pas, oui, si elle décidait de choisir cette indifférence pour s'empêcher de trop souffrir? Pas à travers l'alcool, non, elle en connaît trop les ravages, mais il doit bien y avoir un moyen de dompter ses frustrations, en tout cas de les contrôler si on n'arrive pas à s'en débarrasser, à les contourner, à *penser à côté*!

Elle l'a pourtant fait longtemps sans s'en apercevoir, lorsqu'elle choisissait de rire pour esquiver ce qui allait mal, Nana le lui a reproché assez souvent… *Arrêtez de penser à côté, moman, essayez de voir les choses en face!* Mais à cette époque-là elle ne savait pas ce qui lui manquait, alors que maintenant...

En avalant sa dernière gorgée de digestif elle se dit qu'elle n'a pas le choix. Elle ne peut plus rêver de partir, c'est ridicule, elle est trop vieille et elle n'en aurait sans doute pas la force. Ni, surtout, les moyens. Abdiquer? Ça ne lui ressemble pourtant pas. Ou alors choisir de continuer à rêver tout en sachant que ses si beaux rêves sont irréalisables? Continuer comme avant, quoi.

Fulgence fait signe au garçon. Il va demander l'addition. Maria allonge une main, la pose sur celle de Fulgence.

«J'aimerais ça en prendre une autre. C'est tellement bon.»

Ti-Lou avait prévenu Édouard :

«Si le chauffeur de taxi se rend compte de rien, si y nous prend tous les deux pour des femmes, ça veut dire que t'es correct, que ton déguisement est réussi...»

Ce à quoi Édouard avait répondu :

«Voyons donc, y a pas un épais qui va me prendre pour une femme, j'porte des douze, vous avez quasiment été obligée d'éventrer des souliers pour que je rentre dedans! Le reste ça va, j'peux toujours faire semblant, mais je vous dis que les pieds...

— Le chauffeur de taxi verra pas tes pieds, Édouard... Pis dis rien. Laisse-moi parler.

— Ça paraît que vous avez pas entendu les voix que je peux prendre...»

Édouard s'était éventé avec son sac à main.

«En tout cas, la duchesse de Langeais a jamais eu aussi chaud de toute sa vie!

— La vraie, oui. Pense à c'qu'a'l' a dû souffrir, l'été, à Paris, en pleine canicule. Est-tait *toujours* habillée comme t'es là, Édouard. Les robes étaient différentes, mais les corsets étaient les mêmes!

— Mais est-tait moins grosse que moi...

— Oui, mais le corset était toujours aussi serré...»

Édouard avait cessé de s'éventer et avait posé une main sur l'épaule de Ti-Lou.

«Vous, vous avez dû en porter…

— Juste quand je sortais. Pis je sortais pas souvent… Mais c'est vrai qu'en pleine canicule, dans une salle de théâtre étouffante, c'est pas drôle… J'étais mieux dans ma *sweet* du Château Laurier… en déshabillé. Pis j'vas te dire un secret. Des fois, j'en portais pas pour sortir. Pis les hommes aimaient ben ça.

— Les femmes, elles?

— Les femmes aimaient jamais me voir arriver, de toute façon, avec ou sans corset…

— Là où on s'en va aussi, c'est étouffant, le Paradise est loin d'être climatisé…

— Arrête de te plaindre. On est encore en septembre.»

Ti-Lou avait baissé sa voilette parce que le taxi arrivait, puis s'était tournée vers son compagnon.

«Coudonc, regrettes-tu de faire ce que tu fais, Édouard?

— Je regrette juste d'être obligé de porter un maudit corset.

— Bienvenue dans le monde des femmes, duchesse.

— Les femmes en portent pus, des corsets, de nos jours!

— Les grosses comme toi, oui!»

Elle avait ouvert la porte en riant, il lui avait fait une grimace dans le dos.

«Vous fessez raide quand vous voulez, vous!

— Dans mon métier, faut apprendre à se défendre… Pis j'ai l'impression que dans le tien aussi… En tout cas, le nouveau…»

Le chauffeur avait rangé sa voiture devant la maison et était venu l'aider lorsqu'il avait vu Ti-Lou descendre avec difficulté les quelques marches qui menaient au trottoir.

« Vous vous êtes fait quequ'chose au pied, ma bonne dame ? »

Sans attendre la réponse il s'était aussitôt tourné vers Édouard.

« Pis vous, madame, avez-vous aussi besoin d'aide ? Avec votre corporence… »

Ti-Lou avait laissé monter son beau grand rire bien sonore qui, d'habitude, ravissait Édouard. Cette fois, il lui avait lancé un regard assassin.

Quand Ti-Lou avait dit au chauffeur où ils allaient, ce dernier s'était retourné sur son siège et les avait dévisagés.

« Dites-moi pas que vous êtes des hommes ! Y a juste des hommes qui vont là, à c't'heure… Mais j'en ai pas encore vu habillés en femme, par exemple. Y a-tu un party ? C'est-tu la fête de quelqu'un ? »

Fatigué du babillage du chauffeur, Édouard avait pris sa plus profonde voix d'homme pour lui dire sur un ton péremptoire :

« Nous ne seummes pas des heummes ! Nous seummes des feummes ! Je suis la duchesse de Langeais, et elle… c'est quoi, votre nom, déjà, ma chèère ? Ah oui, elle, c'est la louve des bas-fonds. Ma suivante. »

Le chauffeur avait froncé les sourcils.

« On me donnerait cent piasses que je rentrerais pas là, au Paradise, moi. »

Édouard avait fait mine de bâiller.

« J'ai comme l'impression que si on vous donnait cent piasses, vous accepteriez de vous habiller comme moi ! »

En arrivant au Paradise il s'est tout de même montré galant. Il est venu leur ouvrir les portes de la voiture en les appelant *madame* avec un petit sourire en coin.

Le taxi parti, Ti-Lou et Édouard se sont retrouvés seuls devant l'entrée plutôt déprimante du Paradise.

Ti-Lou a enfilé ses gants qu'elle avait enlevés pour payer la course.

« J'm'attendais à quequ'chose de plus… je sais pas… de plus imposant que ça…

— Vous êtes sur la rue Saint-Laurent, madame Ti-Lou, faut pas vous attendre à trouver des châteaux…

— Y a quand même ben des possibilités entre un château pis un trou ! Y auraient pu viser entre les deux !

— C'est vrai que ça fait trou de l'extérieur, mais le nouveau propriétaire a pas mal ben arrangé ça en dedans dernièrement.

— Ben y faudrait qu'y se trouve un budget pour arranger ça à l'extérieur ! C'est pas c'te façade rouge laide là qui va y attirer de la clientèle…

— Y a pas besoin de ce genre de publicité là…

— Bon, ben on y va ou ben si on continue à faire du *small talk* sur le perron de l'église ?

— Chus tellement énarvé… C'est vrai que je retarde le moment de rentrer…

— Ça va ben aller…

— C'est ça qu'on dit quand on va chez le dentiste… »

Ti-Lou a glissé son bras sous celui d'Édouard ; ils ont en quelque sorte mêlé leurs sacs à main, celui de la duchesse lourd et sans forme, cachant le simple réticule doré de son amie.

« Tout ce que j'espère c'est que les ganses de nos sacoches resteront pas pognées ensemble…

— Édouard, c'est pas le temps de faire des farces…

— J'ai autant de misère à entrer là à soir que la première fois que chus venu, y a cinq ans… »

Au moment où elles allaient monter les quelques marches qui menaient à la porte d'entrée, deux silhouettes qui se dirigeaient vers elles, une jeune fille et un vieil homme, ont attiré leur attention.

« Quelqu'un s'en vient.

— On devrait peut-être entrer en même temps qu'eux autres.

— Pantoute ! J'me sus pas déguisé de même pour passer inaperçu ! On va attendre deux minutes avant de les suivre. »

Ti-Lou s'est penchée vers l'oreille d'Édouard.

« Y me semble… Y me semble que c'est pas le genre de clientèle qu'on s'attendrait à trouver ici…

— Vous avez raison… Qu'est-ce qu'y font… »

Édouard s'est arrêté au milieu de sa phrase, a porté sa main libre à sa bouche.

« Mon Dieu !

— Qu'est-ce qu'y a ? Tu les connais ?

— Pas elle… mais lui ! C'est le frère de ma mère ! »

Ti-Lou a étiré le cou dans leur direction.

« R'gardez pas ! R'gardez ailleurs ! Y va nous reconnaître ! »

Il s'est détourné comme s'il voulait regarder les vitrines des boutiques de dry goods de l'autre côté du boulevard Saint-Laurent.

« Je l'ai vu *une* fois au mariage de ton frère y a dix ans, Édouard, pis toi… même ta mère te reconnaîtrait pas ! »

Ils sont passés devant eux. Le vieil homme a soulevé son chapeau.

« Mesdames. Je crois que nous allons au même endroit… »

Il regardait Ti-Lou d'une drôle de façon. L'avait-il reconnue? Si oui, il se faisait discret.

« Après vous, mesdames… »

Édouard a lâché le bras de Ti-Lou en s'éventant avec son sac.

« Non, non, allez-y… Ma compagne fait un peu d'asthme, y faut attendre que ça passe… »

Avant d'emprunter la première marche, le vieux monsieur s'est tourné vers elles.

« Vous venez souvent, ici?

— Non. Moi, en tout cas, c'est la première fois…

— Donc, vous savez pas si y a une pianiste qui joue ici? Une grosse femme… »

Ti-Lou s'est adressée à Édouard.

« Savez-vous, madame la… Savez-vous si y a une grosse femme qui joue du piano, ici? »

Édouard a fait signe que oui sans se retourner. Il vient de sortir un mouchoir parfumé de son sac pour se donner une contenance.

« Merci. C'est elle qu'on cherche. »

Aussitôt qu'il a entendu la porte se refermer Édouard s'est mis à crier.

« J'rentre pas là, moi! Ah non! J'ai pas envie de… Aïe, mon oncle! Le frère de ma mère! Jamais de la vie! On saute dans le premier taxi qui passe pis on retourne chez vous! »

Ti-Lou l'a pris par les épaules, l'a un peu brassé.

« Y a aucune chance pour qu'y te reconnaisse, Édouard! Au contraire, prends ça comme un défi! Si lui te reconnaît pas… Édouard, c'est ta grande chance d'étonner tout le monde, de faire ta grande rentrée, sous le nez de quelqu'un qui te connaît pis qui sait pas que tu fréquentes le Paradise!

— J's'rai jamais capable! »

Ti-Lou s'est redressée, a baissé sa voilette devant son visage.

« Décidez-vous, madame ! Vous êtes la duchesse de Langeais ou vous ne l'êtes pas ! Si vous manquez de courage, on retourne à la maison, on enlève tout ça pis on n'en reparle pus jamais ! Jamais ! Vous restez ce que vous êtes, un vendeur de chaussures ! C'est à soir, ou ben c'est pas pantoute ! »

Édouard a revu Antoinette de Navarreins, duchesse de Langeais, debout devant l'hôtel particulier de son amant, bien droite, la tête haute, au su et au vu de tout ce que le faubourg Saint-Germain comptait de princes, de ducs, de comtes, indifférente à ce qu'ils pourraient penser d'elle, parce qu'elle voulait voir son Montriveau et qu'aucune humiliation ne pouvait l'en empêcher. Ça, c'était du courage !

Il a jeté le mouchoir dans le fond de son sac, a fourragé pendant quelques secondes, a trouvé le pot de crème Gardénia et, au lieu de s'en mettre sur les mains, il en a étiré une goutte grasse et froide sous son nez.

Pendant un instant, immobile – une sculpture de marbre déposée devant un club de nuit de troisième ordre, – il a été Antoinette de Navarreins plongée dans les effluves que Ti-Lou, la louve d'Ottawa, traînait toujours avec elle. Il est allé puiser chez ces deux femmes fortes ce qui lui manquait, ce qui lui manquerait peut-être toujours, la bravoure et la détermination.

La duchesse de Langeais a levé un bras, comme si elle hélait un taxi ou convoquait sa camériste.

« Qu'à cela ne tienne, l'avenir est à mes pieds ! Venez, ma bonne, allons abasourdir quelques quidams ! »

D'importantes transformations ont été apportées au Paradise pendant la dernière année. Ceux qui l'ont fréquenté autrefois ne s'y reconnaîtraient plus. Tout d'abord le nouveau propriétaire, un *vieux garçon* qui y a vu la possibilité de faire beaucoup d'argent, a décidé, comme il le dit lui-même, c'est un Français, il a beaucoup de vocabulaire, *d'affranchir le troupeau de ses semblables* en enlevant le cordon rouge qui délimitait le *ringside*, laissant ainsi le loisir à la bande de bruyants fêtards qui entourait la duchesse de se disperser un peu n'importe où dans l'établissement, et fait savoir – discrètement, on n'est jamais trop discret à ce sujet-là – qu'il changeait la vocation du Paradise dans le but d'en faire un lieu sûr pour, c'est encore une expression de lui, *les hommes qui aiment se retrouver entre elles*. De nombreuses et épaisses enveloppes ont été et sont encore échangées – la police, la petite pègre, la mairie –, un argent fou a été dépensé en décorations aussi clinquantes qu'absurdes – un lustre pend désormais au milieu du plafond pourtant bas –, la surface de la scène a été doublée – ce qui n'en fait quand même pas un grand plateau – et l'éclairage savamment retravaillé pour flatter la complexion de ces messieurs-dames, comme les appelle Rodolphe Bichonneau en distribuant à tout va des clins d'œil et des poignées de main qui suggèrent plus la cupidité que la vraie sympathie. Les serveuses ont été remplacées par des serveurs aussi colorés que la clientèle. Maria est donc partie juste à temps. Un tollé de protestations est venu des buveurs qui fréquentaient le Paradise depuis toujours, qui se sentaient exclus – quelques-uns ont dit persécutés – et qui prétendaient ne pas savoir où aller si on les chassait de leur oasis favorite. Les anglophones, peu nombreux, disaient *waterhole*. Rodolphe Bichonneau leur a répondu que le boulevard Saint-Laurent regorgeait de refuges pour les assoiffés, mais qu'ils pouvaient rester s'ils le voulaient et s'ils promettaient de se faire en quelque sorte *oublier*. Ils ont pris des airs offensés de jeunes vierges menacées par une horde d'envahisseurs sanguinaires et ont quitté l'endroit en lâchant les insultes qu'ils retenaient depuis que l'ancien propriétaire leur avait imposé le *ringside* et ses dégénérés. Ils voulaient bien endurer les *vieux garçons* si on les enfermait dans un enclos et s'ils restaient en minorité, mais évoluer dans *leur* monde, se sentir eux les indésirables, les laissés-pour-compte, jamais! Édouard et ses amis ont donc envahi la totalité de la surface du Paradise, ont fait la publicité de l'endroit en en vantant son côté exclusif et, surtout, festif – *on a tellement de fun qu'on veut pus sortir de là* –, et Rodolphe Bichonneau, après à peine un an, se félicitait de son audace. Et surtout de son compte en banque.

Ici, les hommes d'Outremont s'encanaillent et les éphèbes de l'Est font de l'argent. On ne se gêne pas pour danser entre soi, pour rire trop fort et trop longtemps, pour lancer les vacheries les plus plates et les moins drôles. La duchesse et sa bande sont restées les maîtres incontestés de l'endroit, on les respecte, on les trouve drôles même lorsqu'elles ne le sont pas, et Édouard, sans le savoir, commence déjà à avoir des admirateurs et, chose étonnante, des imitateurs. À vingt-deux ans il laisse loin derrière lui Xavier Lacroix qui n'aurait jamais pu imaginer que quelqu'un le supplanterait un jour et qui lui en veut. L'insolence de la duchesse de Langeais plaît, ses reparties sont répétées jusqu'à l'extérieur du Paradise, elle déblatère, elle virevolte, elle est partout à la fois. Mais, malgré son nom, on ne l'a encore jamais vue habillée en femme.

Personne, d'ailleurs, n'a encore osé se présenter au Paradise habillé en femme.

Laura et Josaphat entrent au Paradise pendant un moment d'accalmie. Ou alors la folie ne s'est pas encore emparée des hommes qui occupent l'établissement. Il est trop tôt, ou bien ce sera ce qu'Édouard appelle un soir *out*, c'est-à-dire des heures qui traînent en longueur sans que rien d'intéressant ne se passe et sans qu'on sache pourquoi. Il faut dire que la duchesse n'est pas encore arrivée et que c'est elle, la plupart du temps, qui part les festivités. Selon Xavier Lacroix on compte trop sur elle pour s'amuser et on devrait pouvoir se débrouiller quand elle n'est pas là, comme avant son arrivée au Paradise, mais ses propres tentatives pour allumer le party sont lamentables – il est drôle comme un barreau de chaise – et il reste souvent dans son coin, renfrogné et amer, surtout quand la duchesse triomphe avec ses mauvaises et cependant si drôles imitations des stars d'Hollywood ou de Paris. Lui aussi est absent, ce soir. Cette semaine il joue un mélodrame à l'Arcade où il interprète une fois de plus l'amoureux transi de Germaine Giroux qui, semble-t-il, lui a pardonné sa gaffe. Sans doute parce qu'il est le (pas si) jeune premier préféré des spectatrices. Ces dames vont se pâmer sur sa sveltesse, sur sa souplesse, sur sa voix grave et virile, elles vont ensuite faire la queue à la porte de sa loge pour quêter un autographe et, qui sait, peut-être un baiser sur la joue, en ignorant qu'aucune d'entre elles ne l'intéressera jamais. Il va arriver au Paradise après tout le monde, comme d'habitude, il va encore essayer – en vain – d'impressionner ses camarades de beuverie avec des anecdotes de théâtre avant de se retirer dans son coin pour boire en solitaire. On préfère les légendes inventées et passionnantes de la duchesse aux histoires véridiques et ennuyantes – du moins, de la façon dont il les raconte – de Xavier Lacroix.

Pour le moment les *vieux garçons* se promènent de table en table en fumant. Ici aussi, comme à l'Auberge du Canada, une épaisse fumée bleue masque les silhouettes qui évoluent dans la semi-obscurité. L'odeur ambiante est toutefois différente : ça sent un mélange de parfums bon marché plutôt que les vêtements sales et l'alcool mal digéré. Mais Laura se dit que ce n'est pas tellement plus agréable. Ça pique le nez et, s'ils restent trop longtemps, ça pourrait lui donner la nausée. Son père a eu beau lui expliquer avant de quitter l'Auberge du Canada ce qu'était le Paradise, elle reste bouche bée devant cette foule de drôles d'hommes dont elle ne se doutait pas qu'il y en avait tant. Certains d'entre eux regardent dans sa direction comme s'ils n'avaient jamais vu une femme de leur vie.

Un garçon, très grand, élégant dans sa chemise blanche et son pantalon noir, s'approche d'eux en fronçant les sourcils. Josaphat lui glisse un billet de un dollar dans la main.

« On restera pas longtemps… On cherche quelqu'un. Y paraît qu'Imelda Beausoleil joue du piano ici… »

Le waiter leur montre une table, tout au fond de l'établissement, Josaphat secoue la tête.

« On veut juste savoir si est là, à soir…

— Oui, est là. Quand Ti-Pit Bergeron peut pas jouer, a' le remplace. On a juste à l'appeler. A' vient justement de monter sur la scène… »

Il va s'éloigner, hésite, se penche à l'oreille de Josaphat qu'il dépasse d'une bonne tête.

« Vous savez que c'est la seule femme qui entre ici, hein ? Parce que c'est une grande amie du patron… »

Josaphat lui tapote le bras.

« Oui, oui, on sait tout ça. Y a pas de problème… Je vous l'ai dit, on restera pas longtemps. »

Au même moment un air de valse s'élève dans le Paradise. *Heure exquise* de Franz Lehár, un morceau qu'ils ont si souvent interprété en duo à l'Auberge du Canada, Imelda et lui. Imelda a-t-elle senti sa présence ? L'a-t-elle vu entrer ? Non. Un simple hasard. Un maudit hasard. Le cœur de Josaphat se met à battre plus rapidement. Cette femme. Sa passion pour lui qui se laissait faire sans y répondre parce que son amour était ailleurs. Les incroyables moments de folie… Sa démence éthylique, à elle, sa culpabilité, à lui, impuissant devant tant de démence. Et l'arrivée de Laura.

« C'est-tu elle, popa ?

— Oui, c'est ben elle. »

Josaphat prend sa fille par le coude et la pousse tout doucement vers la scène. Des têtes se tournent sur leur passage, des conversations sont interrompues. Ils naviguent entre les tables, se percent un chemin dans la fumée qui tournoie autour d'eux, entendent quelques bribes de remarques désobligeantes échappées sur leur passage. *Qu'est-ce qu'y font ici, eux autres ! On les a jamais vus ! C'te jeune fille là sait-tu où c'est qu'elle a mis les pieds ? C'est pas sa place !* Arrivé au pied de la scène, Josaphat, quelque peu inquiet de ce qui pourrait suivre, prend une grande respiration et parle sur un ton qui se veut enjoué.

« Avoir su que tu t'étais remise au piano, ma belle Imelda, j'aurais apporté mon violon… »

Imelda Beausoleil se fige devant son clavier. La musique s'arrête.

La musique s'arrête au moment même où Édouard, prenant son courage à deux mains, allait se diriger vers le milieu de la salle pour dévoiler sa présence au Paradise, soit avec une vulgarité sans nom, soit avec une de ces tirades improvisées et si drôles dont il a le secret. Ou alors avec une interprétation loufoque de *Heure exquise* en suivant le piano d'Imelda : *Heure exquise qui nous grise lentement, la caresse, la promesse du moment*, en se secouant le derrière et en minaudant comme les blondes oxygénées des films américains... Mae West interprétant Franz Lehár. La duchesse de Langeais, la version complète, celle avec qui on aura désormais affaire, vient de débarquer pour ne jamais repartir ! Elle prépare des coups pendables et vous promet des soirées mémorables ! Le papillon a quitté sa chrysalide et c'est une grosse femme comique !

Décontenancé, il s'arrête, le pied en l'air.

Ti-Lou le pousse dans le dos.

« Vas-y, c'est le temps, y a pus de musique ! »

Édouard recule de quelques pas, se réfugie là où il fait le plus noir. Il regarde en direction de la scène à travers la fumée. Il y a une raison pour laquelle Imelda Beausoleil s'est arrêtée au milieu d'un morceau.

« Non. Y va se passer quequ' chose. Je le sens. »

Imelda commence à parler avant même de se retourner.

« Veux-tu ben me dire... Que c'est que tu fais icitte, toé ? Y me semble que la volée que je t'ai donnée la dernière fois aurait dû te décourager à tout jamais! En veux-tu une autre, c'est-tu ça que tu veux? J'me suis laissé dire que t'avais vieilli, que t'étais rendu un petit vieux tout cassé, j'aurai pas de misère à…»

Elle se tourne d'un seul coup, sans doute prête à grimper dans le visage de Josaphat. Elle sursaute en apercevant Laura à côté de son père. Elle reste quelques secondes silencieuse, les yeux ronds, la bouche ouverte. Son menton se met à trembler. Josaphat comprend tout de suite que le choc n'est pas celui qu'il avait espéré. Il avait anticipé ce choc, oui, il savait qu'Imelda comprendrait immédiatement qui était Laura, mais il escomptait que… que quoi? Pensait-il, fou qu'il était, qu'Imelda pouvait avoir un cœur de mère, que la vue de sa fille la ferait fondre, qu'elle se jetterait dans ses bras en braillant? Oui. Oui, il avait espéré tout ça. Parce que c'était plus facile. Parce que l'idée de partir à la recherche d'Imelda ne venait pas de lui, que ce serait une conclusion qui ferait son affaire, qu'il voulait éviter à Laura la scène qui est sur le point d'éclater. Devant tout le monde. Ce qu'il lit dans les yeux d'Imelda, au lieu de la contrition qu'il avait souhaitée, est dur et laid.

Quand Imelda se remet à parler, sa voix a baissé d'un ton. Et au lieu de crier elle balbutie. Sa rage est si grande qu'elle ne peut pas éclater en vociférations et en anathèmes comme elle le voudrait, c'est contenu, c'est renfoncé dans la gorge, une digue qui n'arrive pas à se rompre. Et ça fait mal au point que seul l'alcool, dont elle essaie pourtant de se passer, pourrait la consoler.

«Pourquoi tu me fais ça? Pourquoi vous me faites ça, tous'es deux? Pour m'humilier? Pour que ma fille voie jusqu'où chus descendue? Hein? C'est ça? C'est ça que tu voulais, Josaphat? Viens voir oùsque ta mère est rendue! Pianiste dans un repaire de *vieux garçons*, à accompagner des danseurs en patins à roulettes pis des chanteurs sans talent. Viens voir la vie que t'aurais eue si a' t'avait pas abandonnée pour que t'ayes une meilleure vie! Viens voir ça! On va rire! Ben tu peux rire. Parce qu'humiliée, je le suis! Chus pas fréquentable, Josaphat, chus pas une bonne personne, tu devrais le savoir, depuis le temps que tu me connais! Pourquoi insister! Pourquoi imposer ça à c'te pauvre fille là! C'est pas sa place, icitte. A'l' avait pas besoin de voir ça! Ramène-la d'où a' vient. Allez-vous-en.»

Les cous se sont tendus, on a fait taire les bavards pour essayer de comprendre ce qui se passe, mais personne n'a entendu ce que murmurait Imelda. Les clients du Paradise sentent qu'une tragédie se déroule sous leurs yeux, l'aboutissement d'un drame qui dure peut-être depuis longtemps. Quoi? Les méchantes langues vont se faire aller, on va poser des questions à Imelda. Prime comme elle est, elle va les envoyer chier, peut-être même disparaître du Paradise à tout jamais. Alors qu'on commence à peine à s'habituer à elle.

Laura pose les deux mains sur la scène, étire le cou en direction de sa mère.

«C'est moi qui as voulu vous voir...

— Ben tu m'as vue! Aimes-tu ce que tu vois? Hein? Peux-tu dire là, tu-suite, que t'aimes c'que tu vois? Chus-tu la mère que tu rêvais de retrouver? Non, hein? Ton père a dû t'avertir, mais chus pire que ce que tu pensais! C'est-tu ça? Chus-tu pire que tu pensais? R'tourne-toi-s'en donc à Saint-Jérôme, pauvre toi! Chez ma sœur Charlotte, chez ta vraie mère! Elle, a' te mérite, pas moé! Pis toé tu me mérites pas, pauvre petite fille, personne m'a jamais méritée!»

Elle se lève, traverse la scène à toute vitesse et va se réfugier dans les toilettes des dames désormais inutiles, sauf quand quelqu'un veut faire son comique ou que celles des hommes sont déjà occupées.

Josaphat et Laura bousculent presque Ti-Lou et Édouard en sortant du Paradise. Laura est en larmes, son père essaie de la calmer.

Ti-Lou et Édouard s'installent à la dernière table, près de la porte, là où se réfugient les timorés qui n'ont pas encore assumé leur état, compris leurs désirs, et qui viennent flairer les lieux, *juste pour tester, juste pour voir...*

Édouard enlève sa perruque qui commençait sérieusement à lui gratter la tête et la dépose devant lui sur la table qui n'a pas été nettoyée depuis un bon bout de temps. Les serveurs du Paradise se préoccupent peu de la section du fond, ils savent qu'il n'y a pas grand argent à faire là...

« Bon, ben je pense que c'est pas à soir que ça va se passer, hein... La duchesse de Langeais va attendre une autre fois pour faire sa grande entrée... »

Ti-Lou en a profité pour retirer ses gants. Elle fait signe au serveur d'apporter deux bières. Il s'éloigne en haussant les épaules. Des travestis. Franchement!

« Remets ta perruque, Édouard... Tu devrais peut-être en profiter, au contraire... Y a pus de musique, le club est tranquille... Y attendent peut-être juste toi pour oublier ce qui vient de se passer...

— On le sait même pas ce qui vient de se passer! On est arrivés en plein drame, madame Ti-Lou, que-qu'chose d'important vient peut-être de se passer, je peux pas provoquer un... un deuxième événement! J'voulais être le seul événement de la soirée, celui dont on se souviendrait pendant des années, la fois où la duchesse de Langeais est apparue dans toute sa splendeur pour la première fois, noyée dans le Gardénia, déguisée en louve, plus drôle que jamais, fallait être là, fallait la voir, toute corsetée, chanter un extrait d'opérette avec sa grosse voix, ça valait mille piasses! J'vas juste faire rire de moi si j'essaye de mettre le fun dans un party déjà gâché! »

Il semble se raviser, s'empare de sa perruque, la remet, toute croche, sur sa tête.

« Mon oncle Josaphat est capable de se débrouiller tu-seul. Pas madame Beausoleil. Madame Beausoleil est malade, a' pourrait retomber dans la boisson n'importe quand… »

Il se lève, tasse le garçon qui apportait les bières. Et qui le reconnaît.

« Édouard! Qu'est-ce…

— Laisse faire, pis ferme ta yeule! »

Une grosse femme traverse le Paradise en courant. On la regarde passer en fronçant les sourcils. *C'est toute une envie qu'elle a là, elle!*

Penchée au-dessus de l'évier, Imelda Beausoleil se passe de l'eau dans le visage. Elle se redresse à l'entrée d'Édouard.

« Vous voyez pas que c'est occupé? J'm'en allais justement dans la cabine…

— C'est moi, madame Beausoleil, c'est Édouard! »

Elle le regarde des pieds à la tête.

« Doux Jésus, Édouard! Mais tu fais ben dur déguisé comme ça! »

Et elle se jette dans ses bras en sanglotant.

Ti-Lou boit sa bière à petites gorgées. Pour une fois qu'elle avait décidé de sortir de son trou… Elle enlève son *choker* qui l'étouffe, le glisse dans son réticule. Elle regarde autour d'elle. La vie reprend peu à peu. Il n'y a pas de musique, on peut entendre les conversations qui commencent à monter dans le club de nuit. On est là pour boire et s'amuser, ce n'est pas un petit drame familial – du moins on le suppose tel – qui va empêcher la bière de couler et, tiens, le premier vient de fuser, les rires de monter dans la fumée épaisse.

Au moins, elle a réussi à sortir de chez elle. C'est déjà ça.

C'est déjà ça.

« Combien de fois est-ce qu'y faut que je te répète que c'est toé qui voulais la rencontrer !

— Combien de fois est-ce qu'y faut que je vous dise que vous auriez dû refuser, m'en empêcher !

— J'ai refusé aussi !

— Pas assez !

— Laura, sors pas ta mauvaise foi en plus ! J'pouvais quand même pas t'enfermer dans ton presbytère ! Pis ton besoin de rencontrer ta mère était tout à fait normal… »

Il s'approche d'elle, essaie de la prendre dans ses bras. Elle s'éloigne de lui en faisant claquer ses talons sur le trottoir. Elle a eu chaud au Paradise, maintenant elle a froid et a peur d'attraper un frisson.

« Suivez-moi pas, popa. J'veux être tu-seule. J'vas monter jusqu'à Sainte-Catherine, j'vas prendre le tramway, pis le Papineau, après, chus capable de rentrer au presbytère sans vous… »

Il se tient quelques pas derrière elle, déjà essoufflé parce qu'elle marche trop vite pour lui.

«On peut pas se laisser comme ça, Laura, faut qu'on en parle…

— On en parlera une autre fois… Chus trop choquée pour en parler tu-suite…

— Contre moi?

— Contre vous, contre elle… pis contre moi aussi.

— Arrête, Laura, tu marches vraiment trop vite.»

Elle s'arrête en soupirant, l'attend, les bras croisés, la tête penchée. Il reconnaît l'air buté qu'elle empruntait, petite fille, lorsque sa tante Charlotte la punissait en présence de son père. Il sait qu'elle a une tête de cochon et qu'elle se laisse difficilement convaincre.

«Faites ça vite parce que j'ai froid.»

Il souffle dans ses mains, les fourre dans ses poches.

«À quoi tu t'attendais, pauvre toi? Qu'a' se jette dans tes bras? Qu'a' te demande pardon à genoux?

— J'voulais y parler. Juste y parler. Même ça, elle a pas voulu.

— La surprise…

— Si ça avait été une belle surprise elle l'aurait laissé savoir! Pis ça sert à rien de parler de tout ça, c'est faite, c'est faite. R'tournez donc dans votre monde imaginaire, popa. J'ai comme l'impression que vous avez toujours eu de la misère avec la réalité. R'tournez avec vos tricoteuses, votre violon magique, pis votre maudite lune, vous êtes bon là-dedans… J'vas me débrouiller. Ayez pas peur. Continuons à se voir comme avant, faisons comme si rien était arrivé. Si jamais l'envie me prend de la revoir, j'm'arrangerai ben tu-seule…

— A' changera jamais, Laura…

— On verra ben… En attendant, bonsoir. V'nez pas me reconduire, ça vaut pas la peine, vous êtes pas ben ben loin de chez vous…»

Elle l'embrasse sur la joue, s'éloigne presque en courant. Il a envie de la suivre, de lui demander comment faire pour sauter de son monde à lui dans le sien. La réalité. Plus que de temps en temps, avec elle qui se moque, qui refuse de croire à ce qu'elle appelle sa maladie. Il sait que s'il tourne le dos – c'est ce qu'il va faire, c'est ce qu'il a toujours fait –, il va retrouver l'univers à la fois réconfortant et inquiétant qu'il a toujours connu : la musique, sa survie, et la peur d'être fou parce qu'il vit depuis cinquante ans avec des êtres qui n'existent pas.

ÉPILOGUE

Depuis qu'il n'a plus les moyens de fréquenter les clubs de nuit et qu'il doit se contenter de boire de la bière, il rentre plus tôt. Les tavernes ferment à dix heures, les derniers soûlons, dont lui, refusent de partir, ils bougonnent, certains vociferent des menaces ou se font pesants sur leurs chaises, lui, le fatigant, celui qu'on appelle le poète parce qu'il parle autrement et qu'il connaît des chapelets complets de vers qui riment, se fait discret, sans doute dans l'espoir qu'on l'oublie dans son coin et qu'on ferme la porte derrière lui. Le laisser boire, c'est tout ce qu'il demande. On lui dit cinq fois, dix fois de partir, il sourit – aux anges quand il est vraiment paqueté –, ou bien il hausse les épaules. Il attend que deux waiters le prennent sous les bras, le traînent à travers le plancher de faux marbre et le jettent à la rue. Tous les soirs. Il n'est pas le seul d'ailleurs. Les soirs d'été on peut entendre sur le trottoir devant la taverne Liverpool une bande de fêtards attardés rire, sacrer et insulter les rares passants. L'hiver, des silhouettes titubantes s'appuient contre les bancs de neige en cherchant la rue Notre-Dame, parfois dans la mauvaise direction. Au fil des années il en est mort quelques-uns qui n'avaient pas trouvé leur chemin et qu'on a retrouvés gelés au petit matin.

Certains policiers parmi les plus cyniques les appellent les *popsicles* de bière. Ils les livrent à la morgue où on essaiera de les identifier.

C'est tout ce qui lui reste. La taverne et la bière. La bière frustrante parce que ça en prend plus pour se soûler et que ça alourdit. À l'Auberge du Canada, il calait deux ou trois gins, une couple de ryes et se sentait léger. S'il en prenait plus, il flottait. Il était joyeux, il aimait la vie et des ribambelles parmi les plus beaux vers de la langue française lui montaient aux lèvres sans qu'il ait à se forcer. Il se faisait croire qu'il les avait écrits ou bien qu'il les improvisait, là, sur place, un génie à l'œuvre, et il était heureux. Et on ne lui demandait jamais de se taire. Parce qu'à l'Auberge du Canada tout le monde était poète à sa façon. (Quand Imelda Beausoleil et Josaphat-le-violon fournissaient la musique, il se levait, quittait l'établissement et partait à la recherche d'un autre refuge.) Alors qu'à la taverne Liverpool, après quatre ou cinq bières bues à toute vitesse pour plus d'efficacité, la table vidée en quelques minutes, les vers viennent moins bien, ils sont souvent incomplets, la rime n'est plus riche, la rime n'existe même plus, il a beau fouiller dans ce qui lui reste de mémoire, il lui arrive, oui, il lui arrive de ne rien trouver du tout et de désespérer. Le gin et le rye, en plus de le consoler, avivaient sa mémoire, les vers venaient tout seuls, ça coulait de source, c'était beau et ça chavirait le cœur. Alors que la bière bourre son cerveau de coton et fait des trous dans ce qu'il trouve de plus beau au monde. En rentrant chez lui – trop tôt, la nuit est jeune, s'il avait un peu d'argent il l'étirerait jusqu'aux petites heures du matin –, il pense à l'insulte qu'il vient de faire à Baudelaire, à Lamartine, à Hugo et il s'agonit d'injures.

Sa tâche terminée, elle s'est assise au pied du lit et a posé sans savoir pourquoi sa main sur le genou de son mari. Elle l'a déshabillé quand il s'est écroulé, elle l'a lavé du mieux qu'elle pouvait, surtout autour de la bouche, maculée et puante, elle lui a mis son pyjama, a relevé le drap jusqu'à son cou parce qu'il fait frisquet dans leur chambre. *Comme si y pouvait sentir le froid, paqueté comme il est!* Elle attend qu'il se mette à râler, à régurgiter pour le tourner sur le côté. Même soûl mort il commence toujours ses nuits sur le dos et c'est elle, chaque soir, qui doit le retourner dans le lit pour éviter qu'il ne s'étouffe. Ça va commencer doucement, comme une petite toux, puis ça va vite se transformer en respirations rapides et saccadées, quelque chose va monter dans sa gorge, ça va se bloquer, il va rougir et s'il n'arrive pas à produire un rot…

Justement, ça vient de commencer. Elle le regarde remuer dans le lit. Il se débat mais il ne se tourne pas sur le côté. Pourquoi? Ça devrait se faire naturellement, sans qu'il s'en rende compte! Un réflexe automatique, le corps qui veut survivre…

Si elle s'était absentée, si elle était partie veiller ailleurs – ça ne lui arrive jamais, mais mettons –, oui, mettons qu'elle ne soit pas là, qu'elle soit partie chez Gabriel et Nana pour voir ses petits-enfants, qu'est-ce qui arriverait? Son corps finirait-il par réagir ou bien crèverait-il là, dans son lit, au milieu de ses vomissures? Et serait-elle responsable? Se sentirait-elle coupable? Et même si elle était dans la maison, mais ailleurs, pas dans leur chambre, mettons devant la radio, CKAC, sa nouvelle passion parce que les chansons françaises la font rêver, avec le son trop haut pour qu'elle puisse l'entendre se lamenter…

Mettons qu'elle ne le sache pas, qu'elle ne se rende compte de rien…

Elle retire sa main, la porte à son cœur.

Elle pourrait faire semblant. De ne pas savoir. De ne se rendre compte de rien. *J'écoutais la radio, le son était fort, j'ai rien entendu… Pauvre homme, mourir de même, c'est épouvantable.* Et le péché? Ça, le péché, ça ne la préoccupe pas trop. Elle pourrait toujours s'arranger avec. Après toutes les années qu'il lui a fait endurer. C'est la culpabilité qui l'inquiète. Pourrait-elle vivre avec ça sur le cœur? Ou arriverait-elle, avec le temps, à croire à son propre mensonge? *J'étais pas là, non j'étais pas là, j'ai rien pu faire…*

Il lance un cri rauque, puis un drôle de gargouillement sort de sa gorge.

C'est là, c'est tout de suite, ou c'est jamais. Le reste de sa vie à répéter les mêmes gestes. *Pis la job de concierge! J'avais oublié la maudite job de concierge!*

Sans même s'en rendre compte elle se retrouve dans le salon, devant la radio qu'elle vient d'ouvrir. S'est-elle levée? Est-elle sortie de la chambre? L'a-t-elle seulement décidé?

Tino Rossi chante les vertus de Marinella.

Elle s'assoit, penche la tête en direction de la radio, monte le son.

Que c'est beau!

Elle pose les mains à plat sur ses genoux, appuie la tête sur le dossier de sa chaise berçante.

Et attend.

Key West, 5 janvier – 7 mai 2014

TABLE

OUVRAGE RÉALISÉ PAR
LUC JACQUES, TYPOGRAPHE
ACHEVÉ D'IMPRIMER
EN OCTOBRE 2014
SUR LES PRESSES
DE MARQUIS IMPRIMEUR
POUR LE COMPTE DE
LEMÉAC ÉDITEUR, MONTRÉAL

DÉPÔT LÉGAL
1re ÉDITION : 4e TRIMESTRE 2014
(ÉD. 01 / IMP. 01)

Imprimé au Canada